文庫改訂版　事実vs本能

目を背けたいファクトにも理由がある

橘　　玲

目次

Part 1　この国で「言ってはいけない」こと

Part 3 「日本人」しか誇るもののないひとたち　

Part 4 ニッポンの不思議な出来事

文庫改訂版　事実vs本能

目を背けたいファクトにも理由がある

文庫改訂版まえがき

２０１９年7月に本書の親本が刊行された後、世界は激変に見舞われました。いうまでもなく、治療法のない感染症（新型コロナウイルス）によるパンデミックという未曽有の事態です。そこでこの文庫改訂版では、構成を大幅に変え、２０２０年3月以降、新型コロナについて書いた文章をＰａｒｔ０「パンとサーカスの日本社会」としてまとめました。

本書の一貫したテーマは「事実vs本能」ですが、感染症がわたしたちの社会に引き起こした異様な現象の数々は、人間の本能が進化の過程でどのように「設計」されたのかをまざまざと見せつけました。感染予防にはなんの役にも立たないトイレットペーパーやキッチンペーパーの買い占めだけでなく、インターネットやＳＮＳで拡散した「自粛警察」「他県ナンバー狩り」など、コロナ以前は想像もできなかった珍奇な出来事はすべて生存本能（死にたくない）で説明できるでしょう。

こうした「本能の暴走」を抑えるためにこそ「事実（エビデンス）」を示す必要があ

るわけですが、これでなにもかも解決できるわけではありません。

そもそも未知の感染症についてはだれにもじゅうぶんな知識があるわけではなく、さまざまな仮説が提示されては書き換えられたり撤回されたりしていきます。感染症の実態を調べるPCR検査ですら、その実施範囲をめぐって専門家のあいだではげしい意見の対立があり、それがSNSなどで拡散され、党派（イデオロギー）対立と化して、あげくの果てに罵詈雑言（ばりぞうごん）の応酬に至りました。

専門家会議が発足して一定の指針を示したことや、欧米に比べて日本の感染者・死者数が少ないことが明らかになったことで徐々に落ち着きを取り戻しましたが、この間、なにが起きたのかが検証されるまでにはまだかなりの時間がかかるでしょう。

事実（ファクトやエビデンス）はたしかに強力な説得材料ですが、その解釈は個人の主観に任されており、党派的な対立ではそれぞれが自分にとって都合のいい事実を盾にとるようになります。

その結果、ファクトを提示すればするほど対立が深まるという皮肉な事態が起きます。新型コロナの感染状況（日本はすでに感染爆発を起こしているにちがいない）だけでなく、ウイルスの発生源（中国の武漢にあるウイルス研究所から流出した）、アジアと欧米の感染率のちがい（BCG接種で発症が抑えられる）、経済活動と感染対策（集団免疫をつけるために若年層に意図的に感染を広げればいい）などなど、専門家（にわか専門家）

のさまざまな意思が現われては消えていき、現在も論争は収束する気配を見せません。

Ｐａｒｔ1からＰａｒｔ5は、２０１６年5月から令和元年にあたる19年6月までの3年間に「週刊プレイボーイ」に連載したコラムから、「事実vs本能」を扱ったものをピックアップしています。読み通していただければ、そこに共通する背景があることに気づいていただけるでしょう。

それはわたしたちが、「知識社会化・リベラル化・グローバル化」という巨大な潮流に翻弄されているという事実です。コロナ禍で明らかになったように、世の中を騒がすさまざまなニュースは、突き詰めれば、旧石器時代につくられたヒトの思考回路が近代以降の社会の大変化にうまく適応できないことから起きています。

そのことをより詳しく説明するために、Ｐａｒｔ5では、２０１１～12年にＯＥＣＤ（経済協力開発機構）が実施した大規模な「国際成人力調査」ＰＩＡＡＣ（ピアック）（Programme for the International Assessment of Adult Competencies）について解説しています。この調査では、先進諸国の労働者のスキルについて驚くべき事実（ファクト）が明らかにされました。親本刊行後に『週刊プレイボーイ』編集部によって行なわれたインタビュー（Ｐａｒｔ6）と合わせてお読みいただければ、高度化する知識社会における「不都合な真実」が見えてくるでしょう。

世界的なベストセラーになった『FACTFULNESS（ファクトフルネス）』（上杉周作、関美和訳／日経BP社）で、ハンス・ロスリングはこう書いています。

たとえば、カーナビは正しい地図情報をもとにつくられていて当たり前だ。ナビの情報が間違っていたら、目的地にたどり着けるはずがない。同じように、間違った知識を持った政治家や政策立案者が世界の問題を解決できるはずがない。世界を逆さまにとらえている経営者に、正しい経営判断ができるはずがない。世界のことを何も知らない人たちが、世界のどの問題を心配すべきかに気づけるはずがない。

同様に、自分がどのような世界に生きているのかをまちがって理解しているひとも、自分や家族の人生について正しい判断をすることができないでしょう。

世の中には、縮尺や方位のちがう地図を手に右往左往しているひとが（ものすごく）たくさんいます。そんななかで、正しい地図を持っていることはとてつもなく有利です。

これが、たとえ完璧なものでなくても、最後は本能ではなく事実に頼らなくてはならない理由です。

Part 0

パンとサーカスの日本社会

治療法のない感染症が世界的に蔓延するという未曽有の事態が起きました。この原稿を執筆している時点（2020年10月）では日本は小康状態ですが、アメリカは死者が20万人を超え、感染第二波に襲われたヨーロッパは経済活動を再規制し、インドやブラジルなど新興国は感染拡大が止まりません。世界全体では感染者約4000万人、死者は100万人に達しました。

人類が今後、このやっかいなウイルスとどうつき合っていくのかは大きな課題です。そのための第一歩としてここでは、コロナ禍で見えてきた日本社会の「事実vs本能」についてまとめておきましょう。

「排外主義」の起源は行動免疫システム

進化生物学者のリチャード・ドーキンスが『利己的な遺伝子』で述べたように、進化の掟はたったひとつ、「できるだけ多くの遺伝子を複製する」です。もちろん遺伝子に意志や目的があるわけではなく、「現存するすべての生き物は遺伝子の複製に成功した個体の末裔だ」という単純な事実を言い換えたものです。

病原体（細菌やウイルス）は宿主を利用して繁殖し、宿主集団に感染を広げて多くの遺伝子を複製しようとします。それに対して宿主は、免疫によって病原体を撃退し、生存や生殖に害が及ぶのを阻止しようとしてきました。これが「進化の軍拡競争」で、その結果、攻撃する側も守る側もきわめて複雑・巧妙な仕組みをつくりだしてきたのです。

医学的には、人体は3つの防御壁によって病原体を防いでいるとされます。第一の防御壁は皮膚や粘膜による「物理的な防御」、第二の防御壁は白血球（貪食細胞）や補体による「自然免疫（非特異的免疫）」、第三の防御壁は免疫グロブリン（抗体）やT細胞による「獲得免疫（特異的免疫）」です。

しかし近年の進化医学は、この「生理的免疫システム」の手前に重要な防御壁があることを明らかにしました。それが「行動免疫システム」です。

3つの防御壁は、病原体に接触するか、体内に侵入されたときにはたらくシステムです。これは「最後の砦」ですから、その前に病原体に触れないようにすれば感染のリスクは大きく下がるでしょう。

進化のメカニズムはきわめて「合理的」なので、このような明らかなメリットを見逃すはずはありません。ヒトは本能的に、感染の危険を避けるように「設計」されているはずなのです。

さまざまな研究で、男も女も性愛の対象として左右対称な相手を好み、なめらかな肌や艶やかな髪に魅力を感じることがわかっています。現代の進化論では、これを「病原体や寄生虫に侵されていない」指標だと考えます。

「嫌悪」は生存への脅威になるものを避けようとする感情ですから、当然、外見に表われた病気の徴候もその対象になります。それに加えて人類は、一人で放浪する者を警戒するようになったはずです。なぜなら、社会的な動物であるヒトは共同体のなかでしか生きていけないにもかかわらず、そこから排除されたということは、感染症に侵されているリスクが高いからです。

行動免疫システムは共同体の外部の者を差別するように進化した——。これが「排外主義」の起源だと考えられています。他県ナンバーの車に落書きしたり傷つけたりする「他県ナンバー狩り」が社会問題になりましたが、「排県主義」こそがまさに人間の本性なのです。

この考え方は、現代の進化論のなかでもっとも評判の悪いもののひとつです。その理由はナチスによるホロコーストや、アメリカを中心に大きな問題になっている人種差別を正当化するように見えるからでしょう。「進化の結果なんだからしかたないよ」というわけです。

こうした危惧はもっともですが、だからといって近代医学の誕生からわずか200年ほどで人間の本性が変わるはずもありません。わたしたちがいまも強固な行動免疫システムをもっていることは、はからずも新型コロナによって証明されました。

人類はずっと、他者を差別し、排除することで感染症から身を守ってきました。これまでもそうだったし、これからもずっと（すくなくとも数百年、数千年は）同じでしょう。

「神経症傾向」が高いと買い占めに走る

新型コロナ騒ぎのなか電車に乗ると、マスク姿の乗客に交じって、マスクをせずに吊革につかまりスマホをいじっているひとがいます。こういうときに、パーソナリティの多様性を実感します。

近年の心理学では、パーソナリティは大きく5つの独立した要素に分かれ、それぞれが正規分布すると考えます。正規分布（ベルカーブ）は平均値の付近がもっとも多く、両極にいくほど少なくなる分布で、学生時代にお世話になった偏差値を思い浮かべればいいでしょう。

代表的なパーソナリティのひとつが「神経症傾向」で、不安感のことです。これが正規分布するのは、世の中には極端に不安を感じやすいひと（その典型がうつ病）だけでなく、極端に不安を感じないひとがいることを示しています。こういうタイプは生きていくのに不都合があるわけでもなく、かといって目立つわけでもないのでふだんは気づかれないのですが、感染症のような非日常では可視化されるのです。

なぜ不安感はばらつくのでしょうか？　進化論的には、「ふたつの異なるサバイバル戦略があるから」と説明されます。

旧石器時代のサバンナで、おいしい果物がたくさん実っている茂みを見つけたとしましょう。「不安感の低いひと」は、歓声を上げて茂みに駆け寄り、たらふく果物を食べるにちがいありません。これが「生存戦略1」です。

ところがその茂みには、腹をすかせたライオンが潜んでいるかもしれません。無警戒に果物をむさぼり食っている「不安感の低いひと」は格好の餌食です。

そんなときに生き残るのは、集団から遅れ、こわごわとあたりを見回している「不安感の強いひと」でしょう。おいしい果物は食べそこなうかもしれませんが、生命を落とすこともないのですから、これが「生存戦略2」になります。

ふたつの生存戦略が並立するのは、環境によってどちらが有利かが異なるからです。捕食動物が少なく食料の多い地域なら、「不安感の低いひと」は圧倒的に有利です。トラやライオンがうようよしている地域で生き残るのは、「不安感の強いひと」です。長い進化の過程で、いずれの環境にも適応できるように神経症傾向のパーソナリティが正規分布するようになったのです。

いまやヒトを襲う捕食動物はいないし、先進国では戦争や内乱もなく、殺人件数も減って世の中はますます安全になりました。ところがヒトの遺伝子はそうかんたんに変わらないので、いまでもサバンナの猛獣におびえていた頃と同じように強い不安を感じるひとが一定数います。神経症傾向が高いと、現代社会ではとても生きづらいのです。「不安感の強いひと」は、ささいなことでも「このままでは死んでしまう」という生存の脅威に突き動かされ、不安を鎮めるためにどんなことでもします。症状も出ていないのに「検査してくれ」と保健所に怒鳴り込んだり、感染症予防とはなんの関係もないトイレットペーパー、ティッシュペーパー、キッチンタオル（！）を買うために長い行列をつくったりするのはこのタイプです。

そう考えると、目の色を変えて買い占めているひとをすこしは温かい目で見られるようになりませんか？

ファシズムへのカスケード

ファシズムやポピュリズムは、イズム＝イデオロギーではなく、独裁者／指導者の望む方向に大衆を動員する政治運動のことです。しかし、多様な価値観をもち利害関係の異なる多くのひとびとを自由に操ることなどほんとうにできるのでしょうか。

第二次世界大戦後、このような疑問から社会心理学ではファシズムについての膨大な研究が行なわれました。そのなかでも有名なのはアメリカの心理学者スタンレー・ミルグラムの「アイヒマン実験」と、フィリップ・ジンバルドーの「スタンフォード監獄実験」で、被験者がいともかんたんに権威に従属し、ふつうなら考えられないようなこと(致死レベルまで電気ショックの強さを上げたり、看守役が囚人役を虐待するなど)を行なうかを示しました。——「監獄実験」についてはその後、実験手法について疑義が指摘され論争が起こりました。

これらはいずれも実験室で意図的に被験者の心理を操作しようとしたものですが、1990年代に旧ユーゴスラヴィアのボスニア・ヘルツェゴヴィナや東アフリカの小国ルワンダで大規模な虐殺が起き、世界じゅうに大きな衝撃を与えました。そこでは多くの生存者・被害者が、昨日までの隣人が突如「殺人鬼」に変わった恐怖を口々に語りました。

とはいえ、平和な日本で暮らすわたしたちはこうした事例を頭では理解するものの、それがどのようなものか(幸いなことに)実感する機会はありませんでした。今回のコロナ禍は、ひとびとがどのように「動員」されるのか、そのメカニズムの一端を見せてくれました。

パーソナリティの「神経症傾向」にはばらつきがあり、世の中には一定数の「不安感」が強いひとたちがいます。このひとたちはさまざまな情報に過剰に反応し、「マスクもトイレットペーパーも同じ紙でできている」といわれただけでスーパーに駆けつけて買い占めようとします。もちろん、このひとたちに理性がないわけではありません。「そんなのバカバカしい」と一笑に付す代わりに、「もし万が一本当だったら……」と考えて果敢に行動するのです。

するとスーパーからトイレットペーパーが次々に消えていくのを目にしたふつうのひとたちが、「たんなる噂だと思うけど、なくなったら困るから」と買い占めに参加します。そうなると、もっと理性的で冷静なひとたちも、現実にトイレットペーパーが品切れを起こしている以上、開店前の長蛇の列に並ばざるを得なくなるのです。

そもそもトイレットペーパーは、(生活必需品かもしれませんが)生命にかかわるようなものではありません。それにもかかわらず、SNSへの1件の投稿だけで(実際にはこの誤情報を訂正する投稿が広がったようですが)、日本じゅうのひとびとの行動を変えてしまうことができるのです。

その根底にあるのは「治療法のない感染症の蔓延」という非日常であり、それが引き起こす不安です。「弱毒性」のウイルスですらこれだけの影響力があるのですから、治安が崩壊した混乱のなかで、ふつうのひとびと(わたしやあなた)がいともかんたんに「殺人」へと動員されたとしても、なんの不思議もないのです。

「買い占め問題」を解決する現実的な方法

新型コロナの影響が世界的に拡大していますが、ここでは大きな社会問題になったマスクの転売（高額販売）について考えてみましょう。

ドラッグストアで100円で売っているマスクを、5000円でネットで転売して暴利を得るのは「不道徳」そのものに思えます。しかしこれは同時に、5000円払ってもマスクを手に入れたい消費者がいることを示しています。

そんな切羽詰まったひとに対して、どんなアドバイスができるでしょうか。

すぐに思いつくのは、「マスクは少量でも入荷されるのだから、ドラッグストアに並べばいい」でしょう。しかし、朝10時の開店時間に行ってみると、そこにはすでに長蛇の列ができています。

もっと早くから並ぼうとしても、仕事の都合とか、子どもを保育園に送りに行くとか、健康上の理由などで、その時間に店に行けないかもしれません。その場合はどうすればいいのでしょうか。こたえは、「あきらめなさい」しかありません。

買い占めという行為は、需要に対して供給が著しく少なく、かつ低額で販売されることから起きます。本来はとんでもなく高額なはずの商品が格安で手に入るからこそ、真冬の朝6時から並ぶひとがいるのです。高齢者の多くは手に入れたマスクを部屋にため込むだけでしょうが、この価格差を利用してネットで売ると「高額転売」になります。

ここからわかるように、マスクのような稀少(きしょう)商品の「定価販売」は早朝から行列できる「ヒマなひと」を優遇し、さまざまな事情でそんなことはとてもできない「多忙なひと」を差別しています。それに対して転売業者は、「お金のあるひと」を優遇して「お金のないひと」を差別します。

ここで強調したいのは、「時間による差別」が「お金による差別」より道徳的だとはいえない、ということです。貧しいひとが配慮されるべきだというなら、時間のないひとも同様に扱われるべきではないでしょうか。

もうひとつ明らかなのは、「買い占めは控えてください」と政府がいくら「お願い」してもなんの効果もないことです。行列するひとの多くは「強欲」ではなく、「マスクがないと死んでしまう」という強い不安に駆られているのですから。

だったらどうすればいいのでしょうか。本来であればマイナンバーを利用して購入履歴を管理し、「1人1カ月20枚まで」などとルールを決めればいいのでしょうが、技術的には可能でもいまからではまったく間に合いません。

だったら、行政がマスクを買い上げて医療機関など必要なところに配布したのち、一般販売分は個数制限をつけて、それが売り切れたら店頭価格を引き上げるようにしたらどうでしょう。タイムセールと同じで、最初は「(行列できる) ヒマなひと」が購入するでしょうが、価格が一定以上になると「お金のあるひと」が買えるようになります。これなら、「お金のないひと」も「時間のないひと」も平等になり、なおかつ転売業者が暴利をむさぼることもできません。

店頭価格を引き上げれば小売店は利益を手にすることになりますが、それを税金で回収して感染症対策の費用に充てればさらに一石二鳥でしょう。

【註】「お金も時間もないひとはどうするのか?」との疑問があるかもしれませんが、このひとたちはもともと (行列できないことで) マスクを入手できなかったのですから、値上げで購入できなくなっても不利益は発生しません。ただし、社会的弱者には別途、なんらかの救済措置を考える必要があるでしょう。

参考文献: ウォルター・ブロック『不道徳な経済学 転売屋は社会に役立つ』ハヤカワ文庫NF

ヒトの本性は利己的か、利他的か

生き物であるヒトにとって、もっとも根源的な欲望とはなんでしょう？　それは「生きたい」です。

「生き死には神がお決めになるもの」と説教する宗教家や、「他人のために生きるべきだ」と語る篤志家もいるかもしれません。しかしひとたび治療法のない感染症が蔓延すると、社会の表面を覆っていた薄いヴェールがはがされて「ヒトの本性」が露わになってきます。

「人間は〝利己的な遺伝子〟によって設計されている」という進化論の考え方は、「リベラル」なひとたちからずっと嫌われてきました。進化の頂点に立つ人間は、〝動物〟とはちがって、利他性という素晴らしい資質をもって生まれたというのです。

この「美しいお話」はとても人気がありますが、いま大きな挑戦を受けています。ヒトの本性が利他的なら、ドラッグストアの長蛇の列や、あっという間に空になってしまうスーパーの食品売り場をどう説明できるのでしょう。「買い占めをするとほんとうに必要なひとが買えなくなる」とどれほど「道徳」に訴えても、利他的な行動などどこからも現われず、ますます行列が長くなるだけです。

新型コロナでわかったのは、「このままでは死んでしまう（かもしれない）」という圧力をほんのちょっとかけただけで、ひとの行動は激変するということです。それに対して、利他的な方向に行動を変えるのはきわめて難しい。なぜなら、ヒトの本性は利己性（自分さえよければ他人はどうでもいい）だから、という話になります。

利他性というのはおそらく、「平和でゆたかで安全」な世の中ではじめて可能になるものなのでしょう。幸福で、守られていて、経済的な不安がないときに、わたしたちはようやく「そういえばほかのひとはどうなんだろう？」と考えるようになるのです。逆にいえば、この条件がひとつでも欠けるとヴェールが裂けて、利己的な本性が前面に出てきます。

疫学的には、人口の7割程度が感染し抗体をもつことで自然に免疫を獲得する（集団免疫）か、ワクチンが開発されれば感染症は克服できます。とはいえ、集団免疫のレベルに達するまでには膨大な死者が予想され、ワクチン開発までには最短でも1年半かかるといわれています。

その間、生命を守りながら経済活動を再開するための方策として抗体検査が議論されています。血清検査で新型コロナの免疫をもっていることがわかれば、感染のおそれはないのですから、免疫のないひとの代わりにハイリスクな仕事（医療や介護）をすることができます。こうして社会全体の感染リスクを下げれば、マスクなどの保護具を供給することで、抗体をもたないひとも仕事に復帰できるというのです。

よいアイデアのようですが、これがうまくいくには、ヒトの本性が利他的であることが前提になります。「抗体証明」をもつ労働者は稀少なので、あらゆる業種から高給で勧誘されるでしょう。そのときこのひとたちは、さして条件のよくない（社会的にも評価の低い）「汚れ仕事」をよろこんで引き受けるでしょうか。

広範な抗体検査が実現されたとき、わたしたちはヒトの本性がどのようなものか、あらためて見せつけられることになるかもしれません。

【註】その後、「感染しても抗体ができないことがある」「抗体ができても免疫は獲得できない」「時間がたつにつれて抗体はなくなっていく」などの研究が発表され、「抗体証明」の案は下火になりました。

新型コロナ「クルーズ船」対策はすべて素人の思いつき？

政府の新型コロナ対策は当初、混迷をきわめました。その象徴が、多くの感染者を出したクルーズ船です。

日本政府の対応について官房長官は「感染防止を徹底」と胸をはりましたが、結果は死者13名、感染者約700名にのぼりました。同様の状況にあったクルーズ船から乗客を下船・自由解散させたカンボジアは「中国におもねっている」とさんざん批判されましたが、その後、確認された感染者は1名です。どちらが正しかったかは議論の余地すらなく、非人道的な環境で長期間拘束された乗客・乗員はほんとうにかわいそうです。

春節の時期に多くの中国人観光客を受け入れたことも、「アメリカのように中国全土からの入国禁止を徹底していれば感染拡大を防げた」と批判されました（その後、日本の感染拡大はヨーロッパなどからの帰国者が持ち込んだウイルスによるものと判明しました）。

「政治は結果責任」ですからどちらも失態でしょうが、このウイルスが未体験であることを考えればいちがいに責めることもできません。感染の恐怖が広がるなかでの下船の決断は困難だったろうし、習近平の来日を控え（その後、中止が決定）、中国人を差別しているかのような対応も躊躇せざるを得なかったのでしょう。

「クルーズ船から1人も降ろすな」と日本政府の対応を支持していたひとたちが、隔離期間を終えた乗客を公共交通機関で自宅に帰したことで掌を返したように罵詈雑言を浴びせた姿を見ると、逆に政治家や官僚に同情したくもなります。好き放題文句ばかりいって、なんでもやってもらえると思っている国民ばかりなら、ふつうならすべてを投げ出したくなるでしょう。

しかしそれでも、政府の対応に問題がないわけではありません。最大の疑問は、厚生労働省の指揮系統がまったく明らかにされないことです。厚労大臣は国立大学経済学部卒の学士で、クルーズ船内で陣頭指揮をとったとされる厚労副大臣も、経歴を見る限り医学のなんの専門知識もなさそうです。意思決定する政治家は「素人」の集団です。

そうであれば、厚労省内にいる（はずの）感染症対策の専門家集団が政治家を補佐し、感染の状況とか、全国一斉休校のような措置をなぜとるのかを、科学的根拠（エビデンス）に基づいて説明すべきです。そうしたことをいちども行なわず、匿名の「厚労省幹部」なる人物がメディアで勝手なことをしゃべるだけなら、国民が疑心暗鬼になるのも無理ありません。

これまで繰り返し指摘してきたことですが、日本の組織の特徴は「ゼネラリストを養成する」との名目で専門性を軽視し、結果として素人ばかりを生み出してきたことです。役所はその典型で、厚労省では2019年の統計不正問題で、統計の専門部署に初歩的な統計の知識をもつスタッフすらいないという驚くべき事実が白日の下にさらされました。

いったん「素人」が組織を支配するようになると、専門性は徹底的に忌避されるようになります。専門家に権限をもたせると自分になんの知識もないことが暴露され、「素人支配」が崩壊してしまうのですから。

このようにして、政府や厚労省の大混乱の背景が見えてきます。恐ろしいことに、新型コロナをめぐる一連の出来事は、「すべて素人が思いつきでやっている」と考えるとすっきり理解できるのです。

【註】2020年9月、厚労省内の「新型コロナウイルス感染症対策推進室」室長が事務次官に就任しました。案の定、国立大学法学部（学士）出身で、感染症はもちろん医学の基礎教育すら受けた経歴はなく、主に年金や社会保険を担当してきたようです。クルーズ船問題でいっさい表に出てこられなかった理由がわかります。

企業の最大の社会貢献は「社員を出勤させないこと」

新型コロナの感染拡大で4月7日に東京、大阪など7都府県に緊急事態宣言が出され、緊張感が高まりました。とはいえロックダウン（都市封鎖）のような強硬規制はすでに欧米諸国で当たり前のように行なわれており、同じことが日本でも起きる可能性があることはじゅうぶん予想できました。

感染率は人間の移動と対人接触頻度の函数（かんすう）ですから、それを抑制しようとすれば「移動しない」「他人と接触しない」の原則を徹底するしかありません。これが「ステイホーム（家にいよう）」です。

ところが日本では、緊急事態宣言の直前まで、ほとんどの会社が社員全員を当たり前のように満員電車で出社させていました。安倍首相から「出勤者の最低7割削減」を求められてはじめて、「これではマズい」と気づいたようなのです。

日本を代表する生命保険会社は、緊急事態宣言を受けて、それまでの全員出社から「隔日出社」に変えたそうです。これでは5割削減にしかなりませんが、なぜそれ以上減らせないかというと、「自宅ではメールが見られないから」だそうです。

日本でコロナウイルスの感染が見つかったのは1月16日、2月には韓国や台湾など東アジアだけでなくイタリアにまで感染が広がったのだから、準備する時間はじゅうぶんあったはずです。その間、経営陣はいったいなにをやっていたのでしょう。

がっかりするのは、この会社が日ごろからＳＤＧｓ（持続可能な開発目標）を掲げ、「企業の社会貢献」を高らかに宣言していたことです。

満員電車で出勤する会社員が多ければ、そのぶん、医療関係者や物流、社会インフラなど、どうしても外出しなければならないひとたちが感染リスクにさらされます。感染が拡大して医療崩壊が起これば、多くの生命が失われます。そう考えれば、企業の最大の社会貢献が「社員を出勤させないこと」なのは明らかです。

しかし現実には、一部の先進的な企業を除いて、日本の大企業はマスクと手洗いでじゅうぶんだと考え、社員を会社に集めて閉鎖空間での会議を繰り返していました。なぜなら、ほかの会社もそうしているから。これは「赤信号、みんなで渡ればこわくない」効果です。

さらにがっかりするのは、経団連や連合までが満員電車での通勤を放置し、傘下企業にテレワークの数値目標を示すことすらしていないことです。これまでずっといってきた「企業の社会的責任」や「労働組合の責務」はいったいなんだったのでしょう?

とはいえ、民間企業ばかりを責めることはできません。首相が「出勤者7割削減」を求めた以上、霞(かすみ)が関(せき)の官庁は率先して範を示さなくてはなりません。感染症対策に直接の関係がない役所・部門ならテレワーク率8割や9割でもおかしくありませんが、そんな話はどこからも聞こえてきません。

「国会対応があるから」とか「重要な業務だから」というかもしれませんが、かけがえのない仕事をしているのは民間企業も同じです。官庁や自治体は、早急に自分たちのテレワーク率を公表すべきです。

【追記】この記事について、「日本を代表する生命保険は、私の勤務している会社の事かと存じます」という方からメールをいただきました。それによると「隔日出社」は表向きで、営業部門を自宅待機させることで出社率を下げる一方で、事務部門は毎日出勤するよう命じられているとのことです。「ＳＤＧｓを掲げ、社会貢献ばかり言っていたのに、嘘（うそ）のようです」とのことでした。

官公庁の出勤については、ＩＴ関連に巨額の予算を投じたにもかかわらず、縦割りの弊害でネット環境が整備されておらず、そもそもテレワークができるようになっていない実態が報じられました。

「お願い」で私権を制限するのは全体主義

新型コロナの感染拡大を防ぐために自治体がパチンコ店に休業要請したところ、それでも営業を続ける店に客が殺到し、一部の自治体が店舗名の公表に踏み切りました。さまざまな議論を呼んだこの問題をふたつに分けて考えてみましょう。

まず、自治体による「要請」というのは「お願い」で、当然のことながら、相手から「お願い」されてそれに応じるかどうかは本人の自由です。店舗名公表によってこれを実質的に強制するのは、憲法で保障された「基本的人権」を明らかに侵害しています。

しかし現在は、治療法のない感染症が蔓延する「緊急事態」です。そんななか、ほとんどの店が要請に従っているのに、一部の店舗だけが営業をつづけて利益をあげるのはまちがっているとほとんどのひとは思うでしょう。

この疑問は当然ですが、なぜこんなおかしなことになるかというと、緊急事態なのに「お願い」しかできない法律だからです。ここから「営業させないなら休業補償しろ」「店が納得するように丁寧に説明すべきだ」との意見が出てくるわけですが、これを緊急事態の典型である戦争に当てはめてみましょう。

敵が迫ってきて、自衛隊が国土防衛のために私有地に軍を展開しなければならないときに、「お宅の土地の使用料はいくらにしましょうか」とか、「あなたの家が戦闘で破壊されるかもしれませんが、なんとかご納得いただけませんでしょうか」とか、一軒一軒交渉するのでしょうか。

「緊急事態」というのは、定義上、「問答無用で私権を制限しなければならない事態」のことです。だからこそ、日本よりずっとリベラルな欧米の国々では、国や自治体のトップが店舗の営業停止やオフィスの閉鎖を矢継ぎ早に命令しているのです。

もちろんだからといって、国・自治体は何もしなくてもいいわけではありません。しかし順番として、補償や経済支援の話は、緊急事態に必要な措置をとったあとになるはずです（そうでなければ緊急事態に対応できません）。

それにもかかわらず日本では、法律上、「お願い」以上のことができないようになっています。しかしこれでは、要請に従った店が「正直者が馬鹿を見る」ことになるので、なにか別の方法で強制力をもたせなければなりません。このときに使われるのが「同調圧力と道徳警察（バッシング）」です。驚くべきことに、日本では法律ではなく「村八分」の圧力によって社会が統制されているのです。

さらに驚愕するのは、「リベラル」を自称するメディアや知識人が、この「法によらない権力の行使」を批判しないばかりか、積極的に容認しているように見えることです。こんなことが許されるなら、国家は「道徳」の名の下に、際限なく国民の私権を踏みにじることができます。これはまさしく「全体主義（ファシズム）」でしょう。

改正特措法（新型インフルエンザ等対策特別措置法）が議論されていたとき、真のリベラルであれば、「法治国家なのだから、法によってしか私権は制限できないようにすべきだ」と主張しなければなりませんでした。残念なことに、この国にそんなリベラルはどこにもいなかったようですが。

【註】ここでは「道徳警察」としていますが、その後、ＳＮＳで「自粛警察」が使われるようになり、流行語として定着しました。

「一律10万円給付」の背景にある現実空間の歪曲

治療法のない感染症の本質は、「疫学的な損害」と「経済的な損害」のトレードオフです。感染拡大を防ぐためにロックダウンすると、仕事を失って生活できないひとたちが街にあふれてしまいます。それをなんとかするために経済活動を再開すると、人間の移動や接触が増えて感染が拡大します。

世界じゅうで起きている新型コロナをめぐるさまざまな混乱は、ほぼこのトレードオフで説明できるでしょう。問題は、現在のところ、このふたつの選択のあいだの「狭い道」を抜ける方法を誰も見つけていないことです。

ワクチンができれば感染症は克服できますが、専門家の多くは「開発まで早くても1年半」といっています。そこからワクチンを量産して世界じゅうで接種するには、さらに2～3年はかかるでしょう。「集団免疫ができればいい」という意見もありますが、そのためには人口の6～7割が感染して抗体を獲得する必要があるとされます。感染した場合の死亡率を1％とすると、日本人の7000万人が感染し、高齢者や疾患のあるひとを中心に70万人が生命を落とすことになります。

「解決できない脅威」は、わたしたちをものすごく不安にします。トレードオフは心理学でいう「認知的不協和」を引き起こし、そのとてつもない不快感から逃れるために、ひとはおうおうにして事実を直視するのをやめて目の前の現実を歪曲します。

その典型がトランプ大統領で、最初は「新型コロナはインフルエンザみたいなもの」といい、感染が拡大すると「特効薬がすぐにできる」と豪語し、死者の山が積みあがるとＷＨＯ（世界保健機関）を非難して資金を引き揚げ、いまでは「中国の生物兵器」説を流しています。

しかしわたしたちも、海の向こうのドタバタ劇を笑っているわけにはいきません。「一律10万円給付」は公明党が連立離脱まで持ち出して、しぶる安倍首相を押し切ったとされますが、この経済政策は5月の連休明け、あるいは6月中には感染が収束することを前提にしています。だからこそ、それまでなんとか耐え忍ぶだけの現金を「スピード感」をもってすべての国民に給付すべきだ、という理屈になるわけです。

しかし、そもそもこの前提がまちがっていたとしたらどうなるのでしょうか？　これから長い「感染症とのたたかい」がつづくとすれば、10万円配ったところでなんの意味もありません。だったらなぜ、こんなことに「連立離脱」を賭けるのか。

この奇妙な政治劇は、「1カ月で感染症は収束しているはずだ」あるいは「収束していなければならない」と現実空間が歪曲していると考えると理解できます。

「一律10万円給付」のポイントは、満額の年金を受け取っているひとも給付を受けられることです。当然、高齢者は大喜びでこの政策を支持するでしょう。これは団塊の世代の票で当選している政治家や政党にとって、ものすごく魅力的な提案です。

新型コロナがすぐに解決するのなら、この機に乗じて支持者に便宜をはかり選挙対策をやっておくのがもっとも合理的なのです、邪推かもしれませんが。


【註】その後、新型コロナは「疫学的な損害」と「経済学的な損害」のジレンマ（トレードオフ）ではなく、次のコラムのように、これに「プライバシー保護」を加えたトリレンマ（3つを同時に実現することはできない）だと考えるようになりました。

「Go To トラベル」が失敗するほんとうの理由

コロナ禍で苦境にある旅行業界を活性化するための「Go To トラベル」キャンペーンがさんざんなことになっています。これについてはすでに多くの批判がありますが、それをひと言でまとめるなら「場当たり的」になるでしょう。

なぜこんなことになるかというと、新型コロナ対策を「感染抑制」と「経済活動再開」のジレンマ（トレードオフ）にしてしまったからです。感染を防ごうと緊急事態宣言を出せば飲食業や観光業、イベント関連などの事業者が苦境に陥り、かといって経済活動の再開を急ぐとクラスターが発生し感染が拡大してしまいます。「あちらを立てればこちらが立たず」のこの関係がジレンマです。

それに対してトリレンマは、「3つの条件を同時に満たすことができない」ことで、「国際金融のトリレンマ」がよく知られています。「自由な資本移動」「為替相場の安定」「独立した金融政策」の3つを同時に実現することはできないという定理で、先進諸国が為替相場の安定＝固定相場制を放棄して自由な資本移動と独立した金融政策を実現する一方、人民元相場を管理する中国は海外送金にきびしい規制を敷いて自由な資本移動を放棄しています。

このようにトリレンマでは、3つの条件のうちひとつをあきらめれば、残りの2つを満たすことができます。そこで新型コロナの問題を、「感染抑制」「経済活動再開」「プライバシー保護」のトリレンマとして考えてみましょう。

日本や欧米諸国が直面しているのは、プライバシー（自由な社会）を維持しようとするために、感染抑制と経済活動再開の両立が困難になる事態です。しかし中国のようにプライバシーを（一定程度）放棄して、感染者と濃厚接触者を特定し強制的に隔離すれば、経済活動を犠牲にせずに感染を抑制することが可能になります。

ところが日本では、本来はトリレンマである問題をジレンマとして扱い、「経済活動を委縮させると不況で自殺者が増える」「経済活動再開によって感染者が増え、大切な生命が失われていく」という不毛な対立をえんえんとつづけています。中国のようにプライバシーを放棄すれば、感染抑制と経済活動再開を両立できるのですから、現在起きている問題の大半は解消するのに……。

誤解のないようにいっておくと、私はべつに「中国のような超監視社会になるべきだ」といっているわけではありません。

――日本は「民主国家」なので、国民の多くがそれを望むならべつになってもかまわないと思いますが。

「Ｇｏ Ｔｏ トラベル」が迷走する理由は、政権が問題の本質（トリレンマ）を無視してジレンマに対処しようとするからであり、もうひとつの選択肢（プライバシーの放棄）に触れることをぜったいに許さない日本社会の「空気」でしょう。ここを理解しないと、誰が政権を担っても同じことの繰り返しになります。

東日本大震災と福島原発事故での旧民主党政権の場当たり的な対応を批判して、「このようなことは二度と起こしてはならない」と第二次安倍政権が登場しました。それにもかかわらず、今回の「国家的危機」に際して、同じような場当たり的対応をするしかなくなっていることに、この問題の根深さが象徴されています。

「軽率な発言」への私刑（リンチ）はどこまで許されるのか？

人気お笑いタレントが深夜のラジオ番組で、女性を貶(おとし)めるような発言をしたとして炎上騒ぎに発展しました。

発言の経緯を見ると、リスナーから「コロナの影響でしばらく風俗に行けない。思い切ってダッチワイフを買おうか真剣に悩んでいる」との相談が寄せられ、「苦しい状態がずっと続きますから、コロナ明けたらなかなかの可愛い人が、短期間ですけれども、美人さんが、お嬢（風俗嬢）をやります。なんでかって言うたら、短時間でお金を稼がないと苦しいですから」「今我慢して、風俗に行くお金を貯めておき、仕事ない人も切り詰めて切り詰めて、その時のその3カ月のために、頑張って今歯を食いしばって、えー、踏ん張りましょう」と述べたとされます。

たしかに軽率な発言ですが、その趣旨はリスナーに対し、「この時期に風俗に行くのは我慢して感染拡大を防ごう」というもので、その理由として「コロナが収束したらいいことがある」との軽口で笑いを取ろうとしたのでしょう。男同士の会話としてはよくあるもので、「経済的に困窮する女性を蔑視している」といわれればそのとおりでしょうが、芸能人として社会的生命を断たれなければならないほどの「罪」とは思えません。

この事件をはじめとして、SNSなどで広がる炎上騒ぎの問題は、罪の重さが恣意的に決められていることです。当然のことながら法治国家では、罪を判定し刑を科すことができるのは司法だけです。もしその行為が違法でないのなら、どれほど不愉快であっても、表現・思想信条の自由として許容するのがリベラリズムでしょう。

ところがネット上の「道徳警察」は、自分たちで罪を認定し、本人が謝罪してもなお「謝り方が気に入らない」として番組からの降板を求める署名を集めています。これは「私刑（リンチ）」であり「公開羞恥刑」以外のなにものでもありません。

かつては多くの国に、公の場で恥をかかせる羞恥刑がありました。18世紀のアメリカでは不倫をした妻と間男は2人ともむち打ち柱に縛り付けられ、見世物にされましたが、その後、「公衆の面前で屈辱を与える刑罰は死刑よりも残酷である」との批判が高まり、19世紀半ばまでにほぼ廃止されます。ところがその羞恥刑が、21世紀になって「私刑」として復活したのです。

道徳バッシングがなぜこれほどまでひとを夢中にさせるかというと、それがきわめて強い「快感」をもたらすからです。脳科学は、不道徳な行為を罰すると脳の快感回路が刺激されて神経伝達物質のドーパミンが分泌されることを明らかにしました。

ネットニュースでもっともアクセスが多いのは「芸能人」と「道徳」の話題だといいます。芸能人の不道徳なスキャンダルはこのふたつの組み合わせですから、ページビューを増やして手っ取り早くお金を稼ぐもっとも効率的な方法です。

こうしてニュースを提供する側の利益と、そこから快感を得ようとするひとびとの欲望が一致して、異様な公開羞恥刑が起きるのでしょう。この仕組みはきわめて強固なので、わたしたちはこれから何度も同じような光景を見ることになるはずです。

参考文献：ジョン・ロンソン『ルポ　ネットリンチで人生を壊された人たち』光文社新書

男はなぜいつも不倫で人生をだいなしにするのか？

新型コロナの緊急事態宣言が解除されほっと一息ついたと思ったら、メディアは「トイレ不倫」一色です。事件の詳細は芸能誌に任せるとして、ここでは「男はなぜいつも不倫で人生をだいなしにするのか？」を考えてみましょう。

素敵な女性と結婚し、かわいい子どもが生まれ、経済的になんの不安もないとしたら、これ以上望むことなどないはずです。理性＝意識で考えればたしかにそのとおりでしょうが、じつは無意識はそのようには思っていません。なぜなら、一人の女性が生める子どもの数にはきびしい制約があるから。

イギリスの進化生物学者リチャード・ドーキンスは、「利己的な遺伝子」の目的は自己の複製をできるだけ多く広めることで、そのためにヴィークル（乗り物）である生き物（ヒト）を「設計」したのだといいます。

一人の女性と生涯にわたって深く愛し合う男と、出会った女と片っ端からセックスする男がいたとしましょう。道徳的な男は、愛する妻と2人または3人の子どもをつくります。それに対して不道徳な男は数十人、もしかしたら数百人の子どもをもつかもしれません。男にとって精子をつくるコストはきわめて低く、思春期から半世紀以上も生殖能力は持続するので、なんの制約もなければ膨大な数の女と性交できるのです。

このように考えれば、進化の過程で道徳的な遺伝子が淘汰され、不道徳な遺伝子が生き残ったのは明らかです。わたしたちはみな、生涯に1000人以上の女性とベッドを共にしたとされるカサノバの末裔なのです。

魅力的な女性をうまく口説いて子どもができると、男の脳のなかで無意識が「任務完了」と囁きます。子育てはその女性に任せ、さっさと別の女を口説いた方が、利己的な遺伝子にとって費用対効果が高いのです。

「トイレ不倫」に対して、ワイドショーの女性コメンテーターが「これは性依存症ではないのか」と述べていましたが、「わかってないなあ」と思ったひとも多いでしょう。多目的トイレを使うかどうかは別として、男はみんな性依存症なのです（いわないだけで)。

だとしたら、女の「純愛」はつねに裏切られるのでしょうか。残念ながら、これまでずっとそうだったように、これからも同じでしょう。数年前から始まった「イクメン」のブームは、数百万年の進化の圧力に対してはなんの役にも立たないのです。

しかしさらに考えてみると、女が特定のパートナーと長期的な関係をつくらなければならないのは、社会の富を男が独占しているからです。女性が経済的に自立し、男(夫)に依存しなくなれば、男女の不均衡な関係は大きく変わるでしょう。

こうして一夫一妻制は解体し、自由恋愛と多様な家族へと向かっていくのだろうと思いますが、その先にどのような世界が待っているのかはよくわかりません。ひとつだけたしかなのは、男の「モテ」と「非モテ」の格差がいま以上に広がることでしょう。

参考文献：橘玲『女と男　なぜわかりあえないのか』文春新書

わたしたちは「リベラルな監視社会」に向かっている？

テレビのリアリティ番組に出演していた22歳の女子プロレスラーが、ＳＮＳの誹謗(ひぼう)

中傷に悩んで自殺したとされる事件が波紋を広げています。この問題を受けて政府・与党が、ネット上で他人を中傷する悪質な投稿者を特定するための制度の検討をはじめたと報じられました。

ここでまず確認しておかなくてはならないのは、これは「国家による国民の監視」とか、「権力によって表現の自由が踏みにじられた」という話ではないことです。そもそも政府・行政関係者は、こんな面倒なことをやりたいとはまったく思っていないのですから。

だとしたらなぜ、ネットを規制しようとするのか。それはもちろん、国民が求めているからです。

近代とは、経済的なゆたかさを背景に、個人の自由が大きく拡大した時代です。それは宗教（教会・寺社）やムラ社会、イエ（家父長制）など、結婚や職業選択に際して個人の人生にきびしい枷をはめていた中間共同体の影響力が縮小したことで実現されました。とはいえ、誰も一人で生きていくことができない以上、安全な暮らしを保障してくれる共同体は不可欠です。こうして、個人が自由になるほど国家がより大きな役割を果たすようになりました。

近代社会では、戦争でも犯罪でも、自分たちに危害をおよぼすような事態が起きると、ひとびとは国家に対処を求めます。その結果、軍隊や警察・司法が肥大化し、ヤクザのような民間団体による私的制裁・解決は不正なものとして排除されるようになりました。自分たちで（自生的に）問題を処理できなければ、ますます国家に多くを依存するしかないという構図がこうしてできあがるのです。

街頭に設置された不気味な監視カメラには、当初、「プライバシー侵害」とのはげしい反発がありましたが、それが安全に役立つとわかると、たちまち商店街に監視カメラ設置の要望が寄せられ、いまでは凶悪犯罪の解決が長びくたびに「なぜ監視カメラがないんだ」との批判が行政に殺到します。

監視によって社会を統制しているのが中国で、欧米など「民主国家」から批判されますが、実態を見ればさしたるちがいはありません。ロンドンでは至るところに監視カメラが設置されており、日本でも住宅街で犯罪が起きれば、近隣家庭の監視カメラの映像を警察に提供するのが当然とされています。

中国では監視によって犯罪が減り、社会が安全になったことに多くのひとが満足しているといいますが、これはわたしたちも同じでしょう。現代では、ひとびとは自ら監視されることを求めているのです。

このような社会では、不愉快なことや許しがたいことが起きると、国民はごく自然に国家の介入を求め、権力による解決を期待します。SNSへの規制論議でもまさにそのとおりのことが起きており、「自主的に解決すべきだ」との声はほとんど聞こえてきません。

「リベラル」な世の中では、「ひとを傷つける表現の自由はない」とされます。だとしたら、「ひとを死に追いやるような表現の自由はない」のは当然のことです。もはやこの潮流に抗することは不可能でしょう。

中国やロシアのような独裁国家でなくても、自由な市民によって「リベラルな監視社会」は実現するのです。

参考文献：梶谷懐、高口康太『幸福な監視国家・中国』NHK出版新書

行政と大企業の「癒着」には理由がある

新型コロナ対策の持続化給付金事業の民間委託に対し、疑問や批判の声が高まっています。報道を見るかぎりたしかにヒドい話で、徹底した真相究明が求められるのは当然ですが、ここではちょっと距離を置いて、なぜこんなおかしなことになるのか考えてみましょう。

話の前提として、組織のなかでいかに成功するかに「ポジティブ・ゲーム」と「ネガ

ティブ・ゲーム」があるとします。ポジティブ・ゲームは「リスクを負ってでも一発当てて目立てばいい」で、失敗しても転職などでやり直しがきく開放系に最適な戦略です。それに対してネガティブ・ゲームは、「いっさいのリスクを負わず、目立つこともしない」で、いちど失敗すると悪評がずっとついてまわる閉鎖系での最適戦略になります。

年功序列・終身雇用の日本的雇用は、新卒でたまたま入った会社（組織）に定年まで40年以上も勤めるのですから、典型的な「閉鎖系」です。役所＝官僚組織はそれに輪をかけて閉鎖的で、そこで生き残るのはネガティブ・ゲームの達人だけです。

とはいえ、どんな仕事でも失敗のリスクはついてまわります。役人の世界でも無リスクの仕事は事務・雑用などのバックオフィスだけで、これでは出世などできそうもありません。

そうなると、成功を目指す官僚にとってもっとも重要なルールは、「失敗しても責任をとらない」になります。そのときに効果的なのが「前例」で、なにか大きなトラブルが起きても、「これまでのやり方が時代に合わなくなっていた。今後は聖域なき改革に粉骨砕身したい」と、すべての責任を（引退している）前任者に負わせ、おまけに自分を〝改革の旗手〟に偽装することまでできてしまいます。

大きなお金が動く事業では、政治家などの利害関係者からさまざまな注文や横やりが入ります。これに対処できるのは、民間ではあり得ないような異常な状況に的確に対応できる経験とノウハウをもつ事業者だけです。有力政治家が「こんなやり方は認めん」と騒ぎだせば、すべては吹き飛んで「大失敗」になってしまうのですから。

このふたつの理由から、必然的に、官僚は大きな事業を特定の大企業につねに発注することになります。しかしいまでは公共事業は公募が原則で、これではメディアから「利権」「癒着」との批判を浴びてしまいます。

懇意の会社をダミーにすればいいのでしょうが、コンプライアンスがきびしくなり、談合が刑事告発されるようになると、どこもグレーな取引を嫌がるようになりました。こうして困り果てた結果、正体不明の「協議会」をつくらざるを得なくなったのではないでしょうか。

「769億円もの事業費を（いったん）受け取るのに決算すらしていない」と批判されましたが、これは怠慢ではなく意図的なものでしょう。「幽霊協議会」の名ばかり役員でも、決算印を捺（お）してしまえば「責任」をとらなくてはならないのですから。

このようにすべてのプレイヤーが「責任をとらない」というネガティブ・ゲームをしていると考えれば、不可解な出来事でも話のつじつまが合ってきます。これが日本社会の本質ですから、大なり小なり、すべてのひとが似たような体験をしていることでしょう。

誰もが「見たいエビデンス」だけしか見なくなる

経済活動再開を急いだアメリカで新型コロナウイルスの感染者数が記録を更新し、日本も緊急事態は解除されたとはいえ予断を許さない状況がつづいています。とはいえ、欧米で感染爆発が起きたときのような世界的な大混乱が収まってきたことも確かです。そこで、これまでのコロナ禍をいったん「数字」で振り返ってみたいと思います。

「感染のグラウンド・ゼロ」となったニューヨーク州では、3月半ばに200人程度だった1日の感染者は、3月22日のロックダウン開始日に2500人、4月10日は9600人と1万人に迫りました。累積感染者数は7月1日時点で約42万人、累積死者は約3万2000人という驚くべき数字になっています。

ところで、これを100万人あたりに換算すると、感染者は約2万1500人、死亡者は約1700人で、比率はそれぞれ2・15%と0・17%です。さらにこれを逆にするなら、ニューヨーク州民のうち「97・85%は無症状で、99・83%はコロナ禍を生き延びた」ということになります（抗体検査の州全体の陽性率は約12%なので、こちらの数字では「88%は感染していない」になります）。

このように、感染者・死者を実数で見るか、比率で見るかで印象はずいぶん変わります。これを行動経済学では「フレームを変える」といいます。

もちろん、500人に1人しか感染症で死なないとしても安心はできません。その1人が自分になるかもしれないからです。知りたいのは全体の平均ではなく、男女、年齢、既往症、居住地などで区分したより詳しいデータでしょう。そのなかから自分にあてはまるカテゴリーを探した方がずっと正確です。

これはたしかにそのとおりですが、実際にやってみるとうまくいきません。ある程度の傾向はわかっても、細分化しすぎると母数が減って統計として意味がなくなってしまうのです。「あなた一人のコロナのリスク」は、ビッグデータは教えてくれません。

さらなる問題は検査の精度です。新型コロナの感染を調べるPCR検査は、(陽性なのに陰性としてしまう)偽陰性が30%、(感染していないひとを陽性としてしまう)偽陽性のリスクが1%とされています。6月に厚労省が発表した抗体検査で東京の陽性率は0・1%、1000万人の都民のうち1万人が感染したことになります。

ここで全都民にPCR検査したとすると、精度70%として、1万人の感染者のうち3000人を偽陰性として見逃してしまうことになります。しかしやっかいなのは偽陽性の方で、999万人の非感染者の1%、9万9900人を「感染者」にしてしまいます。検査で「陽性」とされた10万6900人のうち、実際の感染者は6・5%しかいないのです。

このように感染者と非感染者の数に大きな差があるときに全数検査をすると、偽陽性によって深刻な混乱が起きます。しかし「希望者全員に検査を受けさせろ」と大騒ぎをしていたときに、このことをちゃんと説明したメディアはほとんどありませんでした。——日本は検査体制が整わず結果オーライになったわけですが。

目の前に数字（エビデンス）があっても、示し方次第で判断は大きく変わります。こうして誰もが、「見たいエビデンスだけを見る」ことになるのです。

参考文献：マイケル・ブラストランド、デイヴィッド・シュピーゲルハルター『もうダメかも　死ぬ確率の統計学』みすず書房

【註】ここでは偽陽性のリスクを1％としましたが、その後の検証で0・1％、あるいは0・01％程度とずっと低いのではないかといわれるようになりました。しかしその一方で、ＰＣＲ検査がすでに死んでいる（感染力のない）ウイルスまで検知していて、感染の規模を過大評価しているとの研究がイギリスで発表され、「適正な検査」をめぐる紛争はまだまだ続きそうです。

安倍政権の後世の評価は「悪夢の民主党政権」のリベラルな政策を実現したこと？

連続在任期間、通算在任期間ともに歴代最長を達成した安倍首相が、体調不良を理由に辞意を表明しました。そこで安倍政権について、かんたんに振り返ってみましょう。

首相自ら会見で認めたように、政権発足時に掲げていた3つの大きな課題――拉致問題解決、北方領土返還（ロシアとの平和条約締結）、憲法改正――はいずれも実現できませんでした。花道になるはずだった東京オリンピックは新型コロナの影響で延期となり、習近平の来日もなくなりました。在任中のもっとも大きな外交成果はパク・クネ前韓国大統領とのあいだで交わした慰安婦問題の日韓合意（最終的かつ不可逆的な解決）でしょうが、これも後任のムン・ジェイン政権で白紙に戻されてしまいました。

その一方で、森友・加計学園問題や「桜を見る会」、検察庁法改正ではきびしい批判にさらされ、コロナ対策の「アベノマスク」は国民の失笑を買い、感染拡大期に強引に実施した「Ｇｏ Ｔｏ トラベル」では混乱が広がりました。こうして見ると、当初の高い志にもかかわらず、歴史に残るような成果を上げることができたかは微妙です。強いていうなら、「アベノミクス」の円安政策で「戦後最長」の景気拡大を実現したことくらいでしょうか。

しかし首相の会見をあらためて聞き直すと、政権の別の顔が見えてきます。記者から「政権のレガシーは何か」を問われて、幼児教育・保育の無償化、高等教育の無償化、働き方改革、一億総活躍社会に向けての取り組みを挙げていますが、これらは安倍首相が「悪夢」と呼ぶ旧民主党政権が掲げていた政策でもあります。

こうした「リベラル」な改革は、たしかに旧民主党政権では実現が難しかったでしょう。なぜなら、「日本の伝統を守れ」と叫ぶ自民党の保守派がこぞって反対するから。

しかし「真性保守」を標榜（ひょうぼう）する安倍首相なら、党内の右派を黙らせつつ改革を進められます。首相は「私がやっていることは、かなりリベラルなんだよ。国際標準でいけば」と周囲に解説したとされますが、これがじつは安倍政権の本質ではないでしょうか。

「日本社会の保守化」を批判するリベラルにとって不都合な事実は、安倍政権が若者（とりわけ男性）から支持され、年齢が上がるほど支持率が下がっていくことです。世界的には「若者はリベラル、高齢者は保守」とされているので、この現象を説明しようとすると、「日本の若者は右傾化し、高齢者はリベラル化している」という〝日本特殊論〟を唱えるしかありません。

しかし安倍政権が「リベラルな改革」を進めてきたとすれば、この奇妙な逆転現象をすっきり説明できます。若者たちは、高齢者の既得権を守るだけの旧態依然とした政治にうんざりしており、それを「破壊」しようとする安倍政権に期待をかけた。高齢者は自分たちの既得権を奪われることを警戒して、「なにひとつ変えてはいけない」という野党＝自称リベラル勢力を支持したのです。

だとすると安倍政権に対する後世の評価は、「旧民主党時代の遺産を活かし、党内の右派勢力を抑えてリベラルな改革を推し進めた」というものになるのではないでしょうか。

パンとサーカスの日本社会

ウイルスに国境はありませんが、それによって逆説的に、それぞれの国や社会の深層に隠されていた構造があぶりだされました。

数千年ものあいだ皇帝による独裁統治（人治）で国を治めてきた中国は、ひと足早く超監視社会に移行したことで、人権を制約すれば感染症を抑制できることを示しました。それに対して「自由とデモクラシーの守護神」たるアメリカは、社会に埋め込まれた「人種問題」と「格差」によって膨大な数の感染者・死者を出し、「大失敗」の責任をめぐって共和党と民主党が醜い争いを繰り広げています。

ひるがえって日本はどうでしょう？　欧米のような強制的なロックダウンもせず、かといってじゅうぶんなＰＣＲ検査ができたわけでもないのに、国民の「自粛」だけで感染を抑制したことで、国際社会からも「謎の成功」と奇妙な称賛さえされるようになりました（経済活動再開後の感染者増であやしくなってきましたが）。

不思議なのは、それにもかかわらず安倍政権の支持率が大きく下がり、強い批判にさらされたことです。もちろんこれにはさまざまな要因があるのでしょうが、感染症対策にせよ、経済支援にせよ、国民の気持ちをひと言で表わすなら「がっかり」でしょう。陣頭指揮をとった自治体の首長と比べて、政府は「ぜんぜん役に立たない」と思われているのです。

なぜこんなことになるのか。日本は「民主国家」なのですから、この疑問への答えはひとつしかありません。「日本人が役に立たない政府を望んできた」です。

１９４５年に悲惨な敗戦を迎えたときの国民の共通の思いは「だまされた」でした。政治家や軍人たちはそれまで、「日本は神の国で鬼畜米英をせん滅する」というデタラメな話を振りまき、２３０万人もの成人男性を戦場に送って無駄死にさせ、国土は焼け野原になって80万人の民間人が生命を失い、なんとか生き延びても食べるものすらなくなってしまったのですから。

そんな国民が、「こんなことは二度とごめんだ」と強く決意したのは無理もありません。戦前のように、国民に「上から目線」で命令する政治は徹底的に忌避されたのです。

その結果、戦後日本の政治家は、政治＝権力行使を拒否する有権者におもねり、懐柔しながら新しい社会をつくっていくしかなくなりました。ちょうどうまいことに高度経済成長が始まったことで、彼らが思いついた解決策は「お金を配って政治をさせてもらう」でした。国民の側も、「無能」な政府が経済成長の果実を分配するだけなら、政治のままごとを許してくれたのです。——もっとも重要な安全保障はアメリカに丸投げしていたので、これでも大きな問題は起きませんでした。

このように考えれば、コロナ禍で日本政府が驚くほど「無能」だったことも、与野党あげて「一人一律10万円給付」に飛びついたことも理解できます。「やってる感」を演出しつつ、じつは(利害調整以外は)なにもせずにおカネをばらまくのが「戦後政治」なのですから、突然、それ以外のことができるようになるわけはないのです。

けっきょくのところ、日本社会の本質は「パン(一律10万円給付)」と「サーカス(ワイドショー)」でした。コロナ禍を奇貨としてそのことに気づいただけでも、大きな意味があったと納得すべきなのでしょう。

Part 1

この国で
「言ってはいけない」こと

女児虐待死事件でメディアがぜったいにいわないこと

2018年3月に東京都目黒区で5歳の女児が虐待死した事件では、「きょうよりかもっともっと　あしたはできるようにするから　もうおねがい　ゆるして」などと書かれたノートが発見され、日本じゅうが大きな衝撃に包まれました。このような残酷な事件が起きないようにするために、わたしたちにいったいなにができるでしょうか。

この事件について大量の報道があふれましたが、じつは意図的に触れていなかったことがふたつあります。

女児を虐待したのは継父で、母親とのあいだには1歳（当時）の実子がいました。じつはこれは、虐待が起こりやすいハイリスクな家族構成です。

父親は自分の子どもをかわいがり、血のつながらない連れ子を疎ましく思います。母親は自分の子どもを守ろうとしますが、それ以上に新しい夫に見捨てられることを恐れ、夫に同調して子どもを責めるようになるのです。なぜなら進化論的には、ヒトは自分の遺伝子をもっとも効率的に残すよう〝プログラム〟されているから……。

これが進化心理学の標準的な説明で、こうした主張を不愉快に思うひとは多いでしょうが、アメリカやカナダの研究では、両親ともに実親だった場合に比べ、一方が義理の親だったケースでは虐待数で10倍程度、幼い子どもが殺される危険性は数百倍であることがわかっています。

もちろん連れ子のいるほとんどの家庭は虐待とは無縁で、偏見につながらないような配慮は大事ですが、残念なことに、「進化の圧力」に抗する理性を持たない親が一定数いることはまちがいありません。児童相談所がこのリスク要因を正しく把握していれば、もっと強い対応もできたのではないでしょうか。

メディアが触れないもうひとつの事実は、この女児にはどこかに実の父親がいることです。ここでも誤解のないようにいっておくと、「父親を探し出して責任を追及しろ」といいたいわけではありません。

日本では、夫婦が離婚するとどちらかが親権を持つことになります。これが「単独親権」ですが、考えてみれば、離婚によって親子関係までなくなるわけではありませんから、これには合理的な理由がありません。そのため欧米では、夫婦関係の有無にかかわらず両親が親権を持つ「共同親権」が主流になっています。

共同親権では、子どもが母親と暮らしていても、別れた父親に子どもと面会する権利が保障されると同時に、養育費を支払う義務が課せられます。ところが単独親権の日本では、ほとんどのケースで父親が親権を失うので、義務感までなくなって、2割弱しか養育費を払わないという異常なことになっています。

虐待への対処で難しいのは、公権力はプライベートな空間にむやみに介入できないことです。子どもが家で泣いていたら近所のひとに通報され、いきなり警察や児相がやってくるような社会では、だれも子育てしたいとは思わないでしょう。

しかし実の父親なら、面会を通じて子どもの状態を確認できるし、子育てにも介入できます。子どもが危険にさらされていると判断すれば、保護したうえで公的機関に訴えることも可能でしょう。

今回のような悲劇をなくそうとするのなら、いたずらに行政をバッシングするのではなく、「子どものことを真剣に考えるのは親である」という原点に立ち返る必要があるのです。

参考文献：マーティン・デイリー、マーゴ・ウィルソン『人が人を殺すとき　進化でその謎をとく』新思索社

小4女児虐待死事件で、やはりメディアがぜったいにいわないこと

目黒区で5歳の女児が虐待死した事件につづいて、２０１９年1月、千葉県で小学4年生の女児が父親の虐待によって死亡しました。

報道によると、今回の事件で逮捕された父親と母親は沖縄でいちど結婚したあと離婚し、そのあと再婚しています。被害にあった10歳の女児は最初の結婚のときの子どもで、再婚後に次女（当時1歳）が生まれたようです。

長女を虐待していた父親は沖縄の観光振興を担う財団法人に勤めていましたが、千葉への転居を機に退職、２０１８年4月からは同じ法人の東京事務所の嘱託社員として働いていました。「家族の話も頻繁にし、同僚は家族仲が良いと思っていた」とされ、沖縄時代の元同僚も「愛想が良かった」と証言しています。

ここから浮かび上がるのは、ジキルとハイドのような「モンスター」的人物像です。そうでなければ、職場ではごくふつうに振る舞い、家庭では子どもを虐待するような非道な真似（まね）がどうしてできるでしょう。

たしかにそうだったのかもしれませんが、実はもうひとつの可能性があります。

あらゆる犯罪統計で幼児への虐待は義父と連れ子のあいだで起こりやすく、両親とも

に実親だった場合に比べ、虐待数で10倍程度、幼い子どもが殺される危険性は数百倍とされています。逆に、実の子どもが虐待死する事件はきわめて稀です。長大な進化の過程で、あらゆる生き物は自分の遺伝子を後世に残すよう「設計」されているからです。――不愉快かもしれませんが、これが「現代の進化論」の標準的な理論です。

そう考えれば、真っ先に事実関係を確認すべきは父親と長女の血縁関係です。報道では実子のように扱われていますが、戸籍上はそうなっていても、実際に血がつながっているかどうかはわかりません。

英語圏を中心に9カ国約2万4000人の子どもを検査したところ、約3％の子どもが、「父親」と知らされていた男性と遺伝的なつながりがないことがわかりました。イギリスでは2007～08年に約3500件の父子鑑定依頼が持ち込まれましたが、鑑定の結果、約19％の父親が他人の子どもを育てていました。こうしたケースは、一般に思われているよりずっと多いのです。

目黒区の事件では、5歳の女児を虐待していたのは継父でした。今回のケースでも父親が長女を自分の子どもではないと疑っていたとしたら、虐待のリスクはずっと大きくなります。だとしたら、行政はDNA検査を促すこともできたのではないでしょうか。

もしこの仮説が正しいとすると、検査の結果、実子であることが証明できれば虐待は収まるでしょう。逆に別の男との子どもであることがわかれば、子どもの身の安全は強く脅かされますから、行政が女児を保護する正当な理由になります。

ひとつだけたしかなのは、「なぜ虐待したのか」を知ろうとせず、行政担当者の不手際を集団で吊るしあげて憂さ晴らししているだけでは、問題はなにも解決しないということです。このままでは同じような悲劇がまた起きるでしょう。

参考文献：オギ・オーガス、サイ・ガダム『性欲の科学　なぜ男は「素人」に興奮し、女は「男同士」に萌えるのか』ＣＣＣメディアハウス

統計の基本を知らない「専門家」が虐待を解決できる？

前回のコラムで「あらゆる犯罪統計で幼児への虐待は義父と連れ子のあいだで起こりやすく、両親ともに実親だった場合に比べ、虐待数で10倍程度、幼い子どもが殺される危険性は数百倍とされている」と書いたところ、一部で「非科学的」「似非科学」との批判がありました。

その根拠は厚労省所管の社会保障審議会専門委員会による報告（「子ども虐待による死亡事例等の検証結果等について」第13次報告）で、「主たる加害者」の項目には「平

成27年度に把握した心中以外の虐待死事例では、『実母』が26人（50・0%）と最も多く、次いで『実父』が12人（23・1%）であった」と書かれています。主たる加害者が実父なら、「継子のリスクがはるかに大きい」ということはできません。

私が参照したのは北米のデータで、進化心理学ではこれを、「長い進化の過程において、ヒトが血のつながらない子どもよりも血縁のある子どもを選り好みするようになったからだ」と説明します。これはきわめて強力なエビデンス（証拠）で、1980年代に提示されたときは（当然のことながら）強い反発を受けましたが、現在に至るまで反証されていません。

厚労省の専門委員会の報告書が述べるように、実父が「主たる加害者」であればこの主張は真っ向から否定されます。「日本人だけが特別で、世界とはまったく別の進化を遂げてきた」ということになりますが、はたしてそんなことがあるのでしょうか。

ここで、1000人からなる集団Aと、10人からなる集団Bを考えてみましょう。統計調査によると、集団Aでは虐待死が10件起こり、集団Bでは1件でした。これは10倍ものちがいですから、「主たる加害者」は集団Aとなります。

さて、これのどこがおかしいかわかるでしょうか。

統計学の初歩の初歩ですが、集団の大きさが異なる場合、それぞれを同じ大きさにしてから比較しなければなりません。これが「標準化」で、1000人あたりで見るならば、集団Bの虐待死は100件になって、集団A（10件）よりはるかに多いことがわかります（「虐待死の割合は集団Aが1％、集団Bは10％」といっても同じです）。

具体的なデータを見ると、「心中以外の虐待死」の3歳以上では、実父による加害が6件に対して、「実母の交際相手」を含む血縁関係のない男性による加害も（疑義事例も入れて）計6件で、実数でも同じになっています。日本では実子と継子の割合は公表されていないようですが、血のつながらない男性と暮らす子どもより、実父と暮らす子どもの人数の方がはるかに多いことは明らかです。このふたつの集団を標準化して比較すれば、日本においても、「虐待は義父と連れ子のあいだで起こりやすい」のはまちがいありません。

不思議なのは「専門」委員会が、小学校高学年でも知っていそうな統計の基本を無視して虐待の「主たる加害者」を特定していることです。

ゴミを入れればゴミしか出てこないのは当たり前です。データの分析がまちがっているのに、どうやって虐待という深刻な問題を解決できるというのでしょうか。

厚労省の「統計不正」が批判されていますが、「専門家」ですらこのありさまでは問題ははるかに深刻です。一省庁をバッシングすれば済むような話ではなく、この国における「専門」の意味から問い直す必要がありそうです。

【図表1】報告義務計画に基づきアメリカ人道協会で検証された1000人あたりの子の虐待数

《両親とも実親の場合》

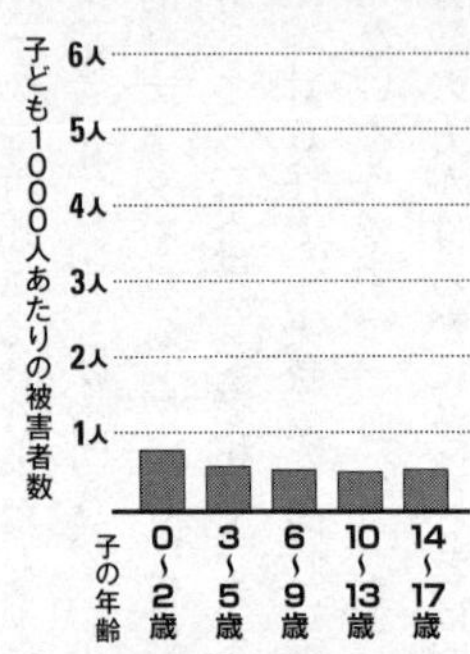

《実親と義理親の場合》

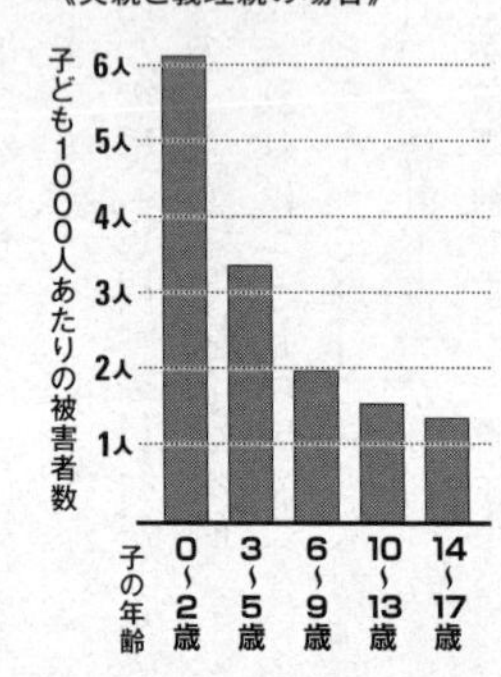

アメリカ,1976年（Wilsonほか,1980より）

【追記】

「実子と継子で虐待の頻度が異なる」との証拠（エビデンス）を示しておきます。まず、【図表１】はアメリカ人道協会が検証した１０００人あたりの子の虐待数で、左が実子、右が継子になります。

次に【図表２】はカナダのオンタリオ州ハミルトン市の児童養護協会が検証した１０００人あたりの子の虐待数です。

最後に、【図表３】は１９８４年のカナダ統計局の調査（１万６１０３人のランダムサンプル）に基づいて、１９７４〜83年の10年間に実子と継子で殺される子の危険性を推計したもので、「今もって手に入る最良の資料」とされています。

なお、カナダにおいて血のつながらない2歳以下の子どもを殺した男（義理の父

【図表2】児童養護協会が把握しオンタリオ州ハミルトン市役所に報告のあった1000人あたりの子の虐待数

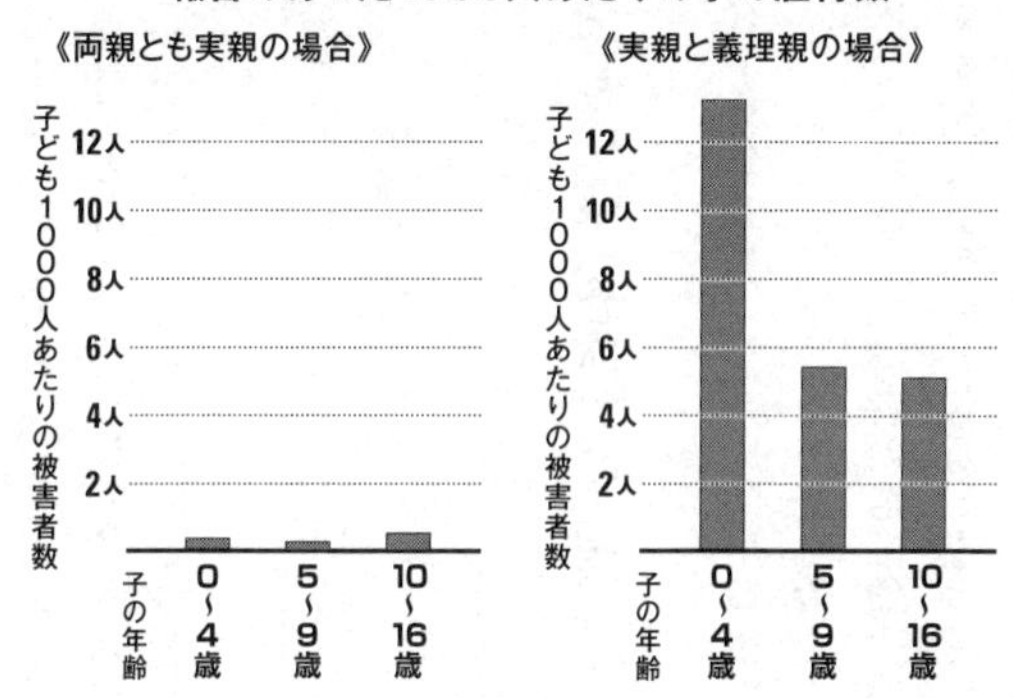

カナダ，オンタリオ州，ハミルトン市，1983年（Daly & Wilson,1980より）

【図表3】子の年齢ごとに見た実の親と義理の親によって殺される危険性（10年間）

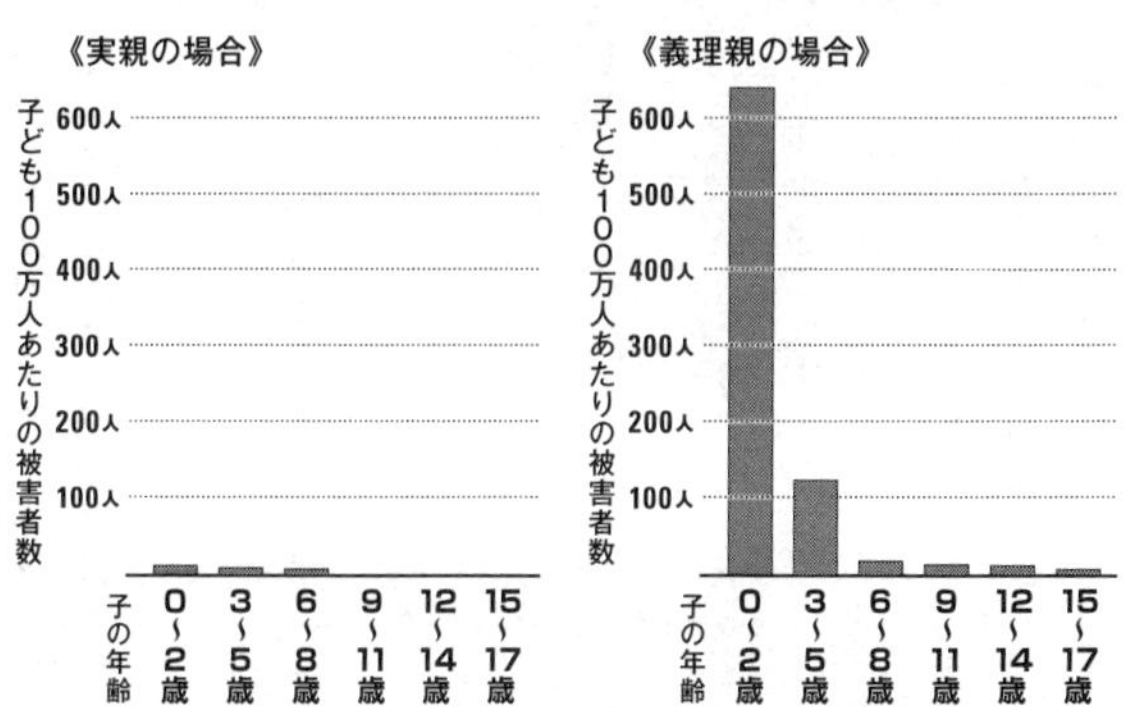

カナダ,1974〜1983年

親）は1万人あたり6人、4歳以下の子どもを虐待したのも100人あたり1人強です。妻の連れ子と暮らす男性はたくさんいるでしょうが、そのほとんどが暴力とは無縁の家庭を営んでいることを強調しておきます。

参考文献：マーティン・デイリー、マーゴ・ウィルソン『人が人を殺すとき　進化でその謎をとく』新思索社

ひきこもりは「恐怖」と「怒り」に圧倒されている

2019年5月、神奈川県川崎市で51歳の男が、スクールバスを待つ小学生らを刃物で襲い、20人を殺傷したあと自殺するという衝撃的な事件が起こりました。報道によれば、加害者の男は幼少期に両親が離婚したため伯父（おじ）に引き取られ、10代後半で家を出たものの、最近になって戻ってきたとのことです。それからはひきこもりのような生活をしており、80代になる伯父夫婦は、自分たちが介護を受けるにあたって、第三者のヘルパーなどが家に入ってきても大丈夫かどうか市の精神保健福祉センターに相談していました。

夫婦が部屋の前に手紙を置いたところ、男は数日後、伯母に対して「自分のことは、自分でちゃんとやっている。食事や洗濯を自分でやっているのに、ひきこもりとはなんだ」と語ったとされています。

伯父夫婦は男が仕事に就かないことで将来を心配していたものの、家庭内で暴力をふるうようなことはなかったことから、大きな問題があるとは考えていなかったようです。近隣とのトラブルも報じられていますが、これも言い争いのレベルで、今回のような凶悪事件を予想することは不可能でしょう。

それでも、手紙を介してしか男とやり取りできなかったことからわかるように、家の中で会話がまったくなかったことは確かです。こうしたコミュニケーションの断絶は、ひきこもりの典型的な特徴です。

上山和樹さんは『「ひきこもり」だった僕から』（講談社）で、自身の体験をきわめて明晰（めいせき）な言葉で語っています。上山さんによると、ひきこもりは「怒り」と「恐怖」が表裏一体となって身動きできないまま硬直してしまう状態のことです。

「恐怖」というのは働いていない、すなわちお金がないことで、生きていけないという生存への不安です。男は伯父夫婦からたまに小遣いをもらっていたようですが、2人が高齢で介護を受けるようになったことから、自分一人が取り残されたときのことを考えざるを得なくなったのでしょう。これはとてつもない「恐怖」だったにちがいありません。

「怒り」というのは自責の念であり、そんな状態に自分を追い込んだ家族への憎悪であり、社会から排除された恨みです。この得体のしれない怒りはとてつもなく大きく、上山さんは「激怒」と表現しています。ひきこもりは、一見おとなしくしているように見えても、頭のなかは「激怒」に圧倒されているのです。

そしてこれは重要なことですが、男のひきこもりは性愛からも排除されています。「自分のような人間に、異性とつき合う資格などない」というのは「決定的な挫折感情」であり、耐えられない認識だと上山さんは書いています。性的な葛藤は「本当に、強烈な感情で、根深くこじれてしまっている」のです。

51歳で伯父の家に居候するほかなくなった無職の男は、これから定職を見つけて自立するのはきわめて困難であり、女性からの性愛を獲得するのはさらに不可能で、伯父夫婦が高齢になったことでこの生活がいずれ終わることを知っていたはずです。

もちろん同じような状況に置かれていても、ひきこもりが社会への暴力につながるケースはきわめて稀で、今回の事件を一般化することはつつしまなければなりません。しかしその一方で、(とりわけ男性の)ひきこもりの内面を無視することは別の偏見を生むだけではないでしょうか。

日本を蝕む「内なる移民問題」

川崎市で51歳の無職の男が登校途中の小学生を襲った事件のあとに、元農林水産省事務次官の父親が自宅で44歳の長男を刺殺しました。長男は中学の頃から家庭内暴力があり、いったんは自宅を出たもののうまくいかず、自ら「帰りたい」と電話して戻ってきたばかりだったとのことです。

事件当日は自宅に隣接する区立小学校で運動会が開かれており、「運動会の音がうるさい。ぶっ殺すぞ」などといったことから、「怒りの矛先が子どもに向いてはいけない」と殺害を決行したと父親は供述しているようです。

長男は、帰ってきた翌日に「俺の人生はなんなんだ」と叫びながら父親にはげしい暴力をふるったとされ、「(小学生を)ぶっ殺す」というのも、川崎の事件で動揺する両親への嫌がらせでしょう。親の世話にならなければ生きていけないにもかかわらず、「自分をみじめな境遇に追いやった」親を憎んでいるという、どこにも出口のない関係がうかがわれます。

内閣府の調査では日本全国に100万人以上のひきこもりがいるとされ、事件直後からひきこもりを支援するNPO団体などに高齢の親からの相談の電話が殺到しているようです。内閣府の調査はアンケート形式で、正直にこたえているかどうかはわからず、実数ははるかに多いはずだと専門家は指摘しています。

しかし、このふたつの事件で衝撃を受けたのは、子どものひきこもりに悩む親だけではありません。

これまで子育ては、子どもをそこそこの大学に入れれば、あるいはそこそこの会社に就職させれば「終わり」と考えられてきました。しかしいずれのケースも、40代や50代になってから居場所を失った子どもが実家に戻ってきています。

すべての親にとって残酷な事実でしょうが、「子育てに終わりはない」のです。

1990年代後半の「就職氷河期」から20年が過ぎ、80歳の親が50歳の子どもを養う「8050問題」が現実のものになってきました。そのあとに来るのは「9060問題」ではなく、親がいなくなったあと自宅に取り残された60代のひきこもり問題です。

彼らの多くは無職か非正規の仕事しかしたことがなく、じゅうぶんな年金を受け取れないでしょうから、生活保護を申請する以外に生きる術がありません。しかしその頃には日本の高齢化率はピークに達しており、年金制度が破綻しないまでも保険料の負担は重くなり、受給額が減らされるのは避けられないでしょう。

そうなれば、社会の憎悪がどこに向かうかは考えるまでもありません。

ヨーロッパでは移民問題が深刻化し、北欧のようなリベラルな国々でも移民排斥を求める「極右」政党が台頭しています。ひとびとの不満は、(働かない)移民が手厚い社会保障制度に「ただ乗り」していることにあります。

それに比べて日本は移民の受け入れに消極的で、保守派はこれによって社会の安定と治安が保たれてきたと主張しています。ここには一面の真実があるでしょうが、しかしわたしたちの気づかないところで、日本社会は「内なる移民問題」に蝕(むしば)まれていたのです。

タブーだらけの事件でマスメディアが探してきた奇妙な〝犯人〟

2016年7月、神奈川県相模原(さがみはら)市の福祉施設で19人が刺殺された事件は日本じゅうに衝撃を与えると同時に、報道・ジャーナリズムの限界をも示しました。なぜならこの事件が、「言ってはいけない」ことばかりで構成されているからです。

事件を起こした26歳の元職員は、衆議院議長公邸を訪れて重度の障がい者の「安楽死」を求める手紙を渡すなどの異常な行動で精神科病院に措置入院させられたあと、「他人に危害を加える恐れがなくなった」との医師の診断で、家族との同居を条件に退院を許可されていました。

しかし、容疑者の精神疾患を強調した報道は、精神障がい者への偏見を煽(あお)るとして強く自制を求められます。本人の意思に反して強制的に病院へ収容する措置入院は人権侵害と背中合わせで、退院を許可した医師への批判は「おかしな奴(やつ)はみんな病院に入れておけ」ということになりかねません。

報道によれば容疑者は両親と別居したまま生活保護を受給しており、これは退院時の条件に反するうえに、父親は公務員で経済的には子どもを援助できない理由はありません。とはいえ、別居を余儀なくされたのは子どもの異常行動が原因でしょうから安易に親の責任にすることはできず、さらには生活保護の問題を追及すると他の受給者への偏見を煽ることにもなってしまいます。

この事件の特異な点は、被害者の顔写真はもちろん氏名すら公表されないことです。これはもちろん、本人が特定されることで障がい者やその家族への差別や偏見が助長される恐れがあるからでしょう。

容疑者が4年前に施設に就職したときは「明るく意欲がある」と思われており、その後急速に、入居者への暴言や暴行を繰り返すようになったとされます。この極端な性格の変貌をジャーナリズムの手法で検証しようとすれば、彼が施設でどのような体験をしたのかの取材が不可欠でしょうが、こうした報道もいっさいできません。

以前、リベラルな新聞社の若い記者から、「〝偏向〟の理由はイデオロギーではなく、わかりやすさなんです」という話を聞きました。デスクは「難しい話は読者が読まないからとにかくシンプルにしろ」と要求しますが、複雑な事情をかぎられた行数でわかりやすく書くことは困難です。こうしてリベラル系は「反安倍」、保守派は「反日叩き」の善悪二元論になっていくというのです。

その意味で相模原の事件は、さまざまな制約から単純な善悪二元論があらかじめ封じられており、そうかといって事件の重大性から報じないわけにもいきません。こうしてマスメディアは、きわめて奇妙な「犯人」を探し出してきました。それは大麻です。

容疑者が大麻を使用していたことが事件と関係あるかのように大きく報じられましたが、これにはなんの医学的な根拠もありません。オランダでは１９７０年代から大麻が合法化されており、近年はアメリカ各州が続々と大麻合法化に踏み切っています。「大麻精神病」が凶悪犯罪を引き起こすのなら、とっくに海外で大問題になっているでしょう。

タブーを避けながらわかりやすさに固執すると、結果としてデタラメな報道が垂れ流されることになってしまうのです。

イスラーム原理主義より深刻な問題

ヨーロッパでもっとも人気のある観光地のひとつであるスペインのバルセロナで、２０１７年8月に観光客ら15人が死亡、１２０人あまりが負傷するイスラーム過激派のテロが起きました。その後の捜査で、世界遺産サグラダ・ファミリア教会の爆破を計画していたこともわかり、世界じゅうに衝撃が広がりました。

実行犯グループはモロッコ国籍などのムスリムの若い男性12人で、イスラーム原理主義のイマーム（指導者）に洗脳され、ガスボンベを使った爆弾を製造していたとされています。そのイマームが実験中の爆発事故で死亡したため、捜査の手が及ぶのを恐れ、観光客であふれる歩行者天国に車で突っ込む凶行に及んだのです。

繰り返されるテロは「イスラームの問題」とされ、それがムスリムの反発を招き、双方が憎みあう悪循環に陥っています。

この隘路（あいろ）を抜けるには、白人主流派がムスリム移民への「暗黙の差別」を理解するとともに、ムスリムの側もイスラームの教義に「自由で民主的な市民社会」に反するものがあることを認める必要がありますが、これはどちらもきわめて困難です。しかしそうなると、ヨーロッパ社会はこれからもテロに耐えつづけなければならず、移民排斥の主張が勢いを増すのは避けられないでしょう。

ところであまり指摘されませんが、繰り返されるテロの実行犯にはもうひとつ共通点があります。それは犯人のなかに高齢者や若い女性がいることは稀で、ほぼ全員が「若い」「男性」だということです。いま起きているのは、高度化する知識社会から大量の「若い男」が脱落していることなのです。

すでにこれはアメリカで大問題になっていて、さまざまな調査で小学校から大学まですべての学年において女子は男子より成績がよく、２０１１年には男子生徒のＳＡＴ（大学進学適性試験）の成績は過去40年間で最低になり、成績表の最低点の70％を男子が占めました。女子生徒が生徒会や優等生協会、部活動などに積極的に参加する一方、多くの男子生徒は停学や留年でドロップアウトしていきます。そしてＯＥＣＤによれば、これはアメリカだけでなく世界的な傾向なのです。

だとすれば、これは同じひとつの現象が、国や文化によって異なる表われ方をしているだけなのかもしれません。

社会に適応できない若い男性が「ひきこもる」のは日本社会に特有の現象とされてきましたが、いまや欧米でもオンラインゲームやオンラインポルノに耽溺（たんでき）する若者が急増し、〝hikikomori〟は英語になりました。アメリカでは、ドロップアウトした黒人の若者はギャングスターに憧れ、下っ端のドラッグディーラーになって人生の大半を刑務所で過ごします。それに対してヨーロッパでは、移民の二世、三世の「アラー世代」の若者たちが社会のなかに居場所を見つけられず、「神」と「正義」の名の下にテロリストに変貌していくのです。

確実なのは、知識社会が高度化するにつれて、ドロップアウトする「若い男」がますます増えていくことです。そしてもうひとつたしかなのは、この問題にどう対処すればいいかだれも知らないことです。

参考文献：フィリップ・ジンバルドー、ニキータ・クーロン『男子劣化社会——ネットに繋がりっぱなしで繋がれない』晶文社

テロ事件の犯人が「救世主」になる理由

２０１９年3月、ニュージーランド南部クライストチャーチのモスクで礼拝者ら51人が死亡する凄惨(せいさん)なテロが起きました。犯人は28歳のオーストラリア人男性（白人）で、74ページにも及ぶ犯行声明をネットに投稿するとともに、銃撃の様子をフェイスブックでライブ配信しました。

今回の事件に大きな影響を与えたのは、２０１１年7月にノルウェーで10代の若者ら77人を射殺したテロだとされます。こちらの犯人は32歳の白人男性で、「極右思想を持つキリスト教原理主義者」と報じられました。

ＩＳ（「イスラム国」）戦闘員による相次ぐ事件によって、中東からの移民やイスラームがテロと結びつけられましたが、今回の事件は人種や宗教が本質的な要因ではない

ことを示しています。キリスト教徒の白人もテロを引き起こすからです。

２０１６年に相模原市の障害者福祉施設に元職員が侵入し、入所者19人を刺殺、職員ら26人に重軽傷を負わせた戦後最悪の大量殺人事件の犯人は、当時26歳の男でした。

これらの事件には明瞭な共通点があります。それは犯人が「若い男」であることです。ＩＳのテロも同じで、どれも目的を達成するために周到に準備し、冷静沈着に犯行が行なわれています。「精神錯乱」や「一時の激情」ではとうてい説明できません。

犯人が若い男ばかりなのは偶然ではありません。あらゆる国で凶悪犯罪に占める若い男の比率は際立って高く、女性や子ども、高齢者はめったなことでは殺人を犯しません。

性ホルモンの一種であるテストステロンは睾丸（こうがん）などから分泌され、その濃度は思春期の男性で爆発的に増え、年齢とともに減っていきます。これによって筋肉や骨格が発達しますが、そのもっとも重要な作用は脳の配線を組み替えて性愛への関心を高めるとともに、競争を好むようにすることです。

多くの哺乳類と同様に、男は思春期になると女の獲得をめぐるきびしい闘いの世界に放り込まれます。わたしたちはみな何百万年、あるいは何千万年も続いたこの性淘汰に勝ち抜いた男（オス）たちの子孫で、思春期から20代にかけて攻撃的・暴力的になるよう進化の過程のなかで「設計」されているのです。

さまざまなテロ事件のもうひとつの共通点は、犯人が自らの凶行をまったく反省していないことです。これは自分が「正義」を体現していると確信しているからでしょう。

男の暴力は集団内の女性獲得競争だけでなく、集団同士の抗争でも発揮され、こちらの方がより激烈・残虐になります。これはチンパンジーも同じで、集団間の抗争に敗れればメスを奪われ、オスはみな殺しにされてしまいます。生き残るためには先に殺すしかないのです。

テロの実行者は、たとえ単独犯であっても、「白人」「イスラーム」「日本人」などの（幻想の）共同体を代表し、「仲間たち」を救うために犯行に及んだと主張します。彼らはみな、妄想のなかでは「救世主」なのです。

しかしそれでもなお疑問は残ります。ほとんどの若い男は、たとえ過激な思想の持ち主でも、女子どもを含む見ず知らずの人間を殺して自分の人生を台無しにしようとは思わないからです。

そうなると最後の共通点は、「彼らの人生はもともと台無しだった」ということになります。そして不吉なことに、世界じゅうで（もちろん日本でも）、社会からも性愛からも排除された若い男は激増しているのです。

「バカ」「死ね」に表現の自由はあるのか

２０１８年６月、ネットセキュリティ会社の社員が、「低能先生」と呼ばれていた40代の男性に刺殺されるという事件が起きました。

報道によると、容疑者は地方の国立大学を卒業したあと職を転々とし、３年前には福岡県のラーメン店で働いていたものの事件当時は無職でした。その学歴からわかるように、容疑者はけっして「低能」ではなく、ネットのコミュニティで他のユーザーを「低能」と誹謗中傷することからこのあだ名がつけられたようです。無職でも生活できたのは、おそらくは親の援助で暮らしていたのでしょう。

地元で最高の大学を卒業したものの社会生活がうまくいかず、ラーメン店を辞めた頃からアパートにひきこもるようになり、ひたすらネットの書き込みをつづけていた姿が、ここからは浮かんできます。嫌がらせ投稿を理由に１００回以上もアカウントを凍結されたにもかかわらず、新規ＩＤで復活してはまた投稿を始めたことからも、その常軌を逸した執着心がわかります。

犯行の動機は、被害者が通報（ＩＤ凍結）を主導していた（と思い込んだ）ことへの逆恨みとされています。これは捜査の進展を待つほかありませんが、容疑者がなんらかの精神障がいを患(わずら)っていた可能性も考えられます。いずれにせよ、部外者にはささいな諍(いさか)いとしか思えないＩＤの凍結が、容疑者の歪(ゆが)んだ理屈では、死をもって償わせなければならないほどの重罪であったことはまちがいありません。

アイデンティティは「自分らしさ」のことと思われていますが、これは正確ではなく、「社会的な私」の核心にあるものです。最大でも１５０人程度の小さな集団で狩猟採集生活をしていた旧石器時代には、共同体から排除されることは即、死を意味しました。徹底的に社会的な動物であるヒトにとって、「自己」は他者との関係のなかに埋め込まれているのです。

孤独であっても、あるいは孤独だからこそ、ひとは社会のなかで自分の居場所を求めます。その方法は千差万別ですが、プライドの高い容疑者にとっては、誰彼かまわず「低能」と罵ることだったのでしょう。

ところで、「バカ」「死ね」が自己実現のための唯一の表現だったとするならば、それを「表現の自由」として認めるべきでしょうか。

ネットでコミュニティサービスを提供する企業は、規約でＩＤ凍結の権限を定めています。不適切な発言を通報するのは、ネットの言論空間を健全なものに保つために必要なことでしょう。しかし容疑者はそれで反省することはなく、ますます被害妄想を募らせていったようです。

アイデンティティ（社会的な私）を攻撃されると、ヒトの脳は身体的な暴力と同じ痛みを感じます。生命が危機に瀕（ひん）すれば全力で抵抗しますから、いったんこの状態になるともはや理性は通用しません。ネットの共同体から排除されそうになった容疑者は、自分が集団でリンチされているかのように感じていたのではないでしょうか。

この事件ほど極端でなくても、ネットが社会の隅々にまで広がった現代には、そこにしか居場所のないひとが膨大にいそうです。彼らをどのように包摂すべきか、あるいは排除してもいいのか、わたしたちはようやくこの問題に気づいたところです。

親は子どもの性癖を自由にしつけられるのか

2016年8月に人気女優の息子が強姦(ごうかん)致傷容疑で逮捕された事件(後に不起訴)で、記者会見でのテレビ各社の質問が批判を浴びました。「どんなに言葉を重ねてもおわびの言葉が見つかりません」と涙を流して謝罪する母親に対し、「容疑者の性癖について、気づくことはなかったのか」「性的な衝動を抑えられない、行動にブレーキがかけられないというようなところはあったか」など、息子の性癖や性欲について露骨な言葉が浴びせられたことに、違和感を覚えたひとも多かったでしょう。

こうした質問の背景には、「親の子育てが間違っているから子どもが悪くなる」という一方的な思い込みがあります。かつての日本では、凶悪事件が起こるとメディアが犯人の実家に殺到し、年老いた両親に謝罪させることが当たり前のように行なわれていましたが、芸能ニュースの「民度」はいまだに変わらないようです。

その一方で、きょうだいが多かった時代には、同じように育てても異なる性格を持つようになるのは常識でした。なかにはドロップアウトしてしまう子どももいて、あれこれ手をつくしてもどうにもならないと、「あの子は仕方がない」と運命として受け入れましたが、これは「子どもは親の思いどおりに育たない」と知っていたからでしょう。

ところが社会がゆたかになって子どもの数が減ると、子育ては「ぜったいに失敗してはならないプロジェクト」になりました。その責任は母親に負わされるため、プレッシャーはなみたいていではありません。

ところで、親は子どもの性癖を自在に矯正できるのでしょうか。この「子育て神話」には、LGBT（レズビアン、ゲイ、バイセクシュアル、トランスジェンダー）という反証があります。性的マイノリティが多数派の異性愛者と平等な人権を持つのは当然としても、子どもの性的指向が「ふつう」とちがうことを自然に受け入れられる親は多くないでしょう。だとしたらなぜ、子どもの「性癖」に気づき、行動に「ブレーキ」をかけなかったのでしょうか。

もうおわかりのように、ここにはマスコミに定番のダブルスタンダードがあります。LGBTは人権問題だから、その性癖を問うと面倒なトラブルを引き起こします。それに対して強姦致傷は犯罪なので、好き勝手に「悪者」を探し出して叩くことができるのです。

合法な性癖は子育てに関係なく、違法な性癖は親が矯正できるという「政治的に正しい」主張にはなんの根拠もありません。子どもの性格や性癖は、法律に合わせて遺伝と環境（子育て）の影響が決まるようにできているわけではないからです。

行動遺伝学などの知見によれば、子どもの人格（キャラ）は遺伝と（子ども時代の）友だち関係で決まり、親が影響を及ぼせることはわずかしかありません。象徴的なのは、アメリカに移民した子どもがたちまち英語を話しはじめ、母語を忘れてしまうことです。会話のための言葉すら教えられないとするならば、親にできることとはいったいなんでしょう。

でもこんな話は「娯楽」として面白くもなんともないので、メディアでは取り上げられません。そのかわり、ドブに落ちたイヌを叩くように芸能人を嬉々としてさらし者にするのです。

若手女優はなぜ親の宗教に「出家」したのか

２０１７年2月、若手女優が突然、新興宗教団体に「出家」するとして芸能界を引退しました。不安定な人気商売で精神的に追い込まれていたようですが、この団体を選んだのは両親が信者で、自身も子どもの頃から宗教行事に参加していたからでしょう。

以前、「子どもは親の思いどおり育たない」と書きました。子どもに説教しても無視されるのには進化論的な理由があるという話ですが、「矛盾してるじゃないか」と思うひともいるでしょう。若手女優は、ちゃんと親のいいつけどおり熱心な信者に育ったのですから。

しかしこの出来事も、現代の進化論の枠組みでちゃんと説明可能です。

アメリカの在野の研究者ジュディス・リッチ・ハリスが子育ての常識に疑問を持ったきっかけは、就学前の移民の子どもたちが母語を忘れ、すぐに英語を話しはじめることでした。子どもの成長が家庭環境で決まるなら、英語を話せない両親との会話に必要な母語をなぜさっさと捨ててしまうのでしょうか？

ハリスは、膨大な証拠に基づいて次のように主張します。

「家庭のルールが友だち集団の掟と対立した場合、子どもが親のいうことをきくことはぜったいにない」

脳のプログラムがつくられた旧石器時代には、離乳期が過ぎれば母親は次の子どもを産むのですから、幼児の世話をすることはできません。だとすれば子どもは、年上のきょうだいやいとこなど、「友だち」のなかで生きていくほかありません。そう考えれば、親の言葉を捨てて友だちの言葉（英語）を選ぶのは当然です。

しかしこれは、視点を変えれば次のようにいうこともできます。

「友だち集団の掟と対立しない家庭のルールには、子どもを従わせることができる」

わたしたちは、幼いときに親がつくった料理の味をいつまでもおいしいと感じます。移民の子どもの味覚が変容しないのは、友だち集団に入れてもらえるかどうかの基準に、食べ物の好き嫌いが関係ないからです。――ニンジンが食べられないからといって仲間はずれにされることは（ふつうは）ありません。

同様にハリスは、宗教も「友だちの掟」とは関係がないといいます。スピリチュアルな感覚は人類に共通していますが、宗教は文化的なもので、脳のＯＳができあがったあとに農耕社会のなかで影響力を持つようになったのです。

子どもたちは、親の宗教によって友だち集団を選ぶことはありません。アメリカなどで、宗教によって子ども集団が分断されているように見えるのは、人種が異なるからです。

進化論的には、子どもは自分に似た子どもに魅かれるようにつくられています。自分のことを親身に世話してくれるのが、きょうだいやいとこなど血縁関係にある仲間であることを考えれば、これも当たり前でしょう。

すべての親が苦い経験として知っていることでしょうが、親は子どもの友だち関係に介入できず、どれほど説教しても音楽やファッションの趣味を変えることはできません――これが友だち集団の内側と外側を分ける指標になっているからです。しかし皮肉なことに、宗教は親から子へと受け継がれ、しばしば世俗化した社会と衝突するのです。

参考文献：ジュディス・リッチ・ハリス『子育ての大誤解 重要なのは親じゃない 新版』ハヤカワ文庫NF

死刑はほんとうに「極刑」なのか

日本弁護士連合会が２０１６年10月の「人権擁護大会」で死刑制度廃止を宣言しました。きっかけは２０１４年に袴田事件の死刑囚の再審開始決定が出たことで、「冤罪で死刑が執行されれば取り返しがつかない」というのが理由です。これは杞憂というわけではなく、１９９０年の足利連続幼女誘拐殺人事件で無実の市民が20年ちかく収監されたように、誤認逮捕はいまでも現実に起きています。

ヨーロッパでは英仏独など主要国が死刑を廃止しており、ＥＵ（欧州連合）は毎年10月10日に「死刑廃止デー」を共催し、国連でも「死刑執行停止決議」が１１７カ国の賛同を得て採択されています。その一方で日本では、世論の8割が死刑を容認するなど、世界の潮流からかけ離れているように見えます。

主権者である国民の圧倒的多数が死刑を支持しているのだから、民主的な決定に国際社会が口をはさむ権利はない、という主張はそのとおりでしょう。しかし気になるのは、日本では死刑が無条件に「極刑」とされていることです。

２００１年６月、大阪教育大学附属池田小学校に男が乱入し、出刃包丁で児童８名を刺し殺しました。犯人は幼少時代から奇行や暴力行為を繰り返し、強姦事件で少年院に入所したあと、職を転々としますがどれも長つづきせず、「このまま生きていても仕方ない」と思うようになります。しかし自殺する勇気がなかったため、１９９９年の池袋通り魔事件（２人死亡、６人重軽傷で死刑確定）、下関通り魔事件（５人死亡、10人重軽傷で死刑執行）を見て、死刑になることを目的に犯行に及んだと供述しています。

事実、男は地裁で死刑判決が出ると控訴を取り下げて死刑を確定させ、その後は「６カ月以内の死刑執行」を求め、執行されなければ精神的苦痛を理由とする国家賠償訴訟請求を起こす準備をしていたといいます。こうした奇矯な行動のためか、判決確定からわずか１年で死刑が執行されました。収監中に死刑廃止運動家の女性と獄中結婚し、最期に妻に「ありがとう」の伝言を残したといいますが、自分が生命を奪った児童やその遺族への謝罪はいっさいありませんでした。

この事件が特異なのは、犯人の望みが死刑になることで、国家がそれをかなえてやっていることです。これでは犯罪者に報賞を与えるようなものですが、不思議なことにこのことを指摘したひとはいませんでした。

欧米社会で死刑廃止が受け入れられやすいのは、「人権感覚」が発達しているというよりも、キリスト教において死(最後の審判までの待機)が一種の救済と考えられているからでしょう。

池田小事件の犯人にとって、生は地獄のようなものでした。だとしたらもっとも残酷な刑罰は、仮釈放のない終身刑となって老いさらばえるまで生きながらえることでしょう。それを考えると不安でたまらなかったからこそ、死刑の即時執行をひたすら求めたのです。

日本人が死刑を容認するのは、それが残酷な罰だからではなく、「見たくないもの」は目の前から消えてほしいと考えているからです。だからこそ、多くの子どもたちの未来を奪った凶悪犯に「安息」を与えても平然としていられるのでしょう。

死刑制度は存続するが執行しないという選択

2018年7月6日に麻原彰晃(あさはらしょうこう)らオウム真理教事件の確定囚7人が死刑執行されたのにつづいて、残る6人の確定囚の死刑も同月26日に執行されました。1カ月のあいだに2度、13人もの死刑執行は日本だけでなく世界に波紋を広げました。

前提として、民主国家において量刑は有権者の総意によって決められるもので、国民の8割が死刑制度を容認している日本で、人権団体や欧州諸国からの批判を根拠にいますぐ死刑を廃止するのは現実的ではないことを確認しておきましょう。政治家が国会で死刑制度を議論できるようになるためには、現在1割以下しかいない廃止派がせめて4割に近づかなくてはなりません。

しかしそれにもかかわらず、今回の大量死刑執行に納得しがたいものを感じたひとも多いのではないでしょうか。

死刑を支持する背景には、「重罪は死をもって償うべき」という道徳観があるとされます。犯罪被害者が極刑を望んでいることや、死刑があることで犯罪が抑止されるとの説明もよく聞きます。

こうした主張には当然、「死刑は国家による殺人」と考える側から多くの反論があるわけですが、とりあえずは一定の（直観的）正しさがあるとしましょう。しかしそうだとしても、今回の死刑執行を正当化するにはじゅうぶんではありません。

報道によれば、地下鉄サリン事件などの被害者は「（死刑執行で）事件が風化してしまうのではないか」「真相はまだ解明されていない」と困惑しているようです。執行により応報感情が満たされたのでないならば、「被害者救済のための執行」という理由は成立しません。犯罪抑止効果にしても、教祖の麻原はともかくとして、洗脳され宗教テロに加わった元信徒の多くは罪を悔い、被害者に謝罪しています。彼らがいまも社会の脅威だと考えるひとはいないでしょうし、「抑止」というなら、宗教原理主義の恐ろしさを生きて語りつづけたほうが効果的ともいえます。

このように考えると、今回の死刑執行には「平成の事件は平成のうちに終わらせる」という以外の理由は見当たりません。これがたんなる「お上（かみ）の都合」としか感じられないことが、強い違和感の正体なのでしょう。

日本では「容認」「廃止」の二者択一でしか語られない死刑制度ですが、じつはもうひとつの選択肢があります。

アメリカでは州によって刑法が異なり、リベラルな東部は死刑を廃止し、保守的な南部は死刑制度を維持しています。ここまではよく知られていますが、じつは西部の州の多くは死刑を容認しているものの、ほとんど執行されていないのです。

その理由は、「道徳的な理由で死刑を支持するひとも、実際に死刑が執行されると不快感を抱（いだ）く」からだとされます。有権者のこうした矛盾した感情を反映して、「死刑判決が出ても執行しない」ことになり、この現状に格段の反対もないようです。ひとびとが求めているのは「道徳の象徴」としての死刑であり、執行されなくても別にかまわないのです。

日本でも、「オウム事件での死刑判決はやむを得ないが、（教祖以外は）執行する必要はなかった」という選択肢を意識調査に加えると、社会の変化が見えてくるかもしれません。

参考文献：R・E・ニスベット、D・コーエン『名誉と暴力　アメリカ南部の文化と心理』北大路書房

カトリックはなぜペドフィリアに侵されるのか

全世界で12億人の信者がいるカトリックの総本山バチカンが、少年への性的虐待事件で揺れています。この問題は長らく指摘されてきましたが、法王庁など教会上層部は不祥事の発覚を恐れ、真相の解明を怠り事件を隠蔽したときびしく批判されているのです。

きっかけは2002年、米ボストンの地方紙が教区司祭の性的虐待を大々的に報道したことで、アカデミー作品賞を受賞した映画『スポットライト　世紀のスクープ』でも描かれました。私はたまたまその時期にニューヨークにいましたが、連日、テレビや新聞で大きく報道されるのを見て、こんなことがあるのかと驚いたのを覚えています。

事件の背景には、カトリックの司祭が終身独身で、女性との性的交渉を禁じられてい

ることがあるとされます。若い男性が共同生活する修道院や神学校は「ボーイズラブ」

の世界で、イタリアの国際神学校では入学者の多くがゲイであることは公然の秘密だそうです。

　同性愛を認めるかどうかはカトリックの教義にかかわる大問題ですが、リベラルな社会では成人同士は自由恋愛ですから部外者が口をはさむようなことではありません。「女性と交わってはならない」という戒律を課せば、それを苦にしないひとたちが集まってくるというだけのことで、少年への性的虐待とはまったく別の話です。

　2018年、国際援助団体オックスファムの職員がハイチや南スーダン、リベリアなどで買春やレイプをしていたことが報じられ、幹部が引責辞任しました。2014年にはあるフランスの女性ジャーナリストがIS（「イスラム国」）幹部に接触しようとしたところ結婚を強要され、生命の危険にさらされました。フランス生まれのその男は窃盗から強盗までありとあらゆる犯罪に手を染め、ISでは拷問と虐殺を専門にしていました。

　この話題はカトリックの不祥事とどうつながるのでしょうか。もちろん、「国際ボランティアは買春目的だ」とか「イスラーム原理主義者はみんなサイコパスだ」ということではありません。ここでいいたいのは、「特異な環境は特異なひとたちを招き寄せる」という単純な法則です。

若い女性と好きなだけセックスを楽しみたい男は、国際的に著名な援助団体を隠れ蓑（みの）にすれば、貧しい国に安全に滞在し高い地位を使って性欲を満たせることに気づくでしょう。暴力への異常な欲望を持つ人間はどんな社会でも一定数いるでしょうが、もしも彼がムスリムであれば刑事罰を恐れる必要はありません。ＩＳに参加すれば、好きなだけ拷問や殺人ができるのですから。

同様に男児のペドフィリア（児童性愛者）は、市民社会では許されない暗い欲望を満たすための格好の場所をカトリックのなかに見つけるでしょう。そこでは少年聖歌隊やミサを補佐する侍童など、たくさんの男児と堂々と接触できるのですから。

そのうえ彼らは、偏った性欲以外はごくふつうで、仕事のできる愛想のいい人物であることも珍しくありません。こうして教会の位階を上がっていき、事件が発覚したときには取り返しのつかないことになっているのです。

このように考えると、バチカンがこの問題に及び腰な理由もわかります。カトリックの教義そのものを変えないかぎり、ペドフィリアはどこからともなく侵入してくるのです。

参考文献：アンナ・エレル『ジハーディストのベールをかぶった私』日経ＢＰ社

ネットを徘徊する「正義依存症」のひとたち

平和な日本を象徴するように「不倫」騒動の話題が相変わらず賑(にぎ)やかです。

単純な疑問として、女性タレントや女性政治家の不倫は「ぜったいに許されない」ことで、かつてはヒット曲を連発した男性ミュージシャンの不倫を報じるとバッシングされるのはなぜでしょう。「くも膜下出血で倒れた妻の介護で苦労していた」というかもしれませんが、だとすれば、夫の介護を美談にしていた女性タレントが不倫しても同じように「かわいそう」と大合唱するのでしょうか。

ここには明らかに男女の非対称性がありますが、「女性差別はけしからん」という話をしたいわけではありません。ワイドショーや女性週刊誌が有名人の不倫を大きく扱うのは、女性の視聴者・読者が求めているからでしょう。「女が(不倫をした)女をバッシングする」現象をフェミニズムは「女性差別が内面化されている」と解釈するかもしれませんが、これはもっとシンプルな説明が可能です。男であれ女であれ、ルールに違反した者を罰することは快感なのです。

脳科学の実験では、裏切り者や嘘つきへの処罰が脳の快楽中枢を刺激し、ドーパミンなどの神経伝達物質が放出されることがわかっています。ドーパミンは「快楽ホルモン」と呼ばれていましたが、いまではその機能は「もっと欲しくなる」焦燥感を煽ることだとされています。アルコール依存症のひとは、ひと口の酒で大量のドーパミンが放出され、意識を失うまで泥酔してしまいます。ギャンブル依存症のひとは、「今日は1万円まで」と決めていてもやめられなくなり、消費者金融に多額の借金をつくってしまいます。「バッシング」でも同じことが起きているなら、これは「正義依存症」という病理です。

正義になぜ〝中毒性〟があるかは、人類がその大半を生きてきた狩猟採集時代の濃密な共同体から説明できます。ひとはだれでもエゴイストで、放っておけば殺し合いになるほかありません。それでも共同生活を成り立たせようとすれば、ルールに従うことと、ルールに違反した者を罰することを（自然選択によって）脳に組み込んでおくのがもっとも効果的です。「現代の進化論」では、これが道徳の起源だとされています。

不道徳な人間を罰すると、脳はドーパミンという報酬を与えます。ただし、相手を殴ったり直に文句をいったりすれば逆恨みされるかもしれません。だとしたら、自分は安全な場所から噂によって相手の評判を落とし、共同体のなかでの序列を下げる（村八分にする）ことに習熟していくのは当然でしょう。匿名で不愉快な相手を叩くのは「道徳（正義）」の一部で、それがどれほどグロテスクでも、わたしたちの社会は市井の「道徳警察」によって支えられているのです。

現代社会の大きな問題は、インターネットやSNSといったテクノロジーが匿名でのバッシングをきわめて容易に、かつ効率的にしたことです。その結果、洋の東西を問わず、ネット上には〝正義という快楽〟を求めて徘徊するひとたちがあふれ、あちこちで炎上騒ぎを起こしています。そんな「中毒患者」たちにとって、バッシングの対象は芸能人でも政治家でも週刊誌でも、理由さえつけばなんでもかまわないのでしょう。

喫煙は医療費を削減するから社会の役に立つ?

2020年に予定されていた東京オリンピックを前に受動喫煙対策が紛糾しました。国際オリンピック委員会は「タバコのないオリンピック」推進を求めており、それを受けて厚労省が、小規模なバーやスナックを例外として屋内を原則禁煙とする案を提示したところ、飲食店の売り上げが落ちるとして自民党議員が強く反発したのです。

私は非喫煙者なので、禁煙対策の強化には賛成です。寿司屋のカウンターで、先に食べ終わった隣の客がタバコを吸いはじめるとほんとうにがっかりします。これは客のマナーというより、高いお金を取りながら喫煙を放置している店に問題があります。これで「日本のおもてなしは世界一」といわれたら、屋内禁煙が常識の国からやってきた外国人は腰を抜かすでしょう。

その一方で、タバコが合法である以上、喫煙者の権利は守らなければなりません。リベラルな社会では、他人に迷惑をかけなければ（法の許すかぎり）なにをしようが自由だからです。

タバコががんなどの原因になることがわかって禁煙対策が求められるようになったわけですが、政府にできるのは、「喫煙は健康を害する」という啓発活動と、タバコの値段を上げることくらいです。

啓発活動は大事ですが、喫煙者にはあまり効果がないことがわかっています。海外の研究ですが、タバコの箱に（喫煙で汚れた肺など）おどろおどろしい写真を載せると、喫煙者は不安を抑えるためによりタバコを吸いたくなるのです。

タバコへの課税は有効ですが、それにも限度があります。仮に1箱1万円になれば、かつての禁酒法と同じで、タバコの巨大な闇市場が生まれることはまちがいないでしょう。

こうして、「喫煙者は医療費を増やすことで社会に負担をかけている」との主張が出てきました。たしかに、がんになれば治療が必要ですから、これは一見わかりやすい理屈ですが、よく考えるとそうともいえません。タバコが死亡率を高めることは多くの研究が示していますが、死んでしまったひとには年金を払う必要もなければ、高齢者医療や介護もいらないからです。医療経済学では、こうした効果を総合すると、「喫煙は医療費を削減する」というのが定説になっています。世界的に受動喫煙が問題とされるようになったのは、こうした背景があるからでしょう。

フィルターを通して吸い込む煙より副流煙の方が有害物質を多く含むことが明らかになって、客だけでなく従業員の健康への配慮も求められるようになりました。「店の儲けのためにがんになってもいいというのか」との批判には説得力がありますから、日本も早晩、受動喫煙にきびしく対処せざるを得なくなるでしょう。

しかしそうなると、喫煙を批判する根拠はなくなります。

だれにも迷惑をかけない自宅などでタバコを思う存分吸うのは喫煙者の権利です。そのうえ彼らは、統計的には早死にしますから、非喫煙者に比べて社会の負担になりません。最近では「禁煙希望者への支援」も叫ばれていますが、これを〝よけいなお世話〟と感じる喫煙者も多いでしょう。

だとしたら、その先に待っているのは、「どんどんタバコを吸ってさっさと死んでください」という〝自己責任〟の世の中かもしれません。

保守思想家はなぜ「溺死」しなければならなかったのか

保守思想家の西部邁さんが2018年1月、78歳で亡くなりました。発見されたのは東京都大田区の多摩川で、河川敷には遺書らしきメモが残されていたといいます。編集者時代に何度かインタビューさせていただいたことがあり、教師としてはきびしい方だったようですが、私のような若輩者の門外漢にはとても丁寧な受けこたえで、腰の低いやさしいひとでした。

しかしここで書きたいのは、西部さんの思想家としての評価ではありません。

オランダ・ユトレヒトで数学教師をしていたウィル・フィサー氏は、65歳のときに左顎骨周辺の扁平上皮（へんぺいじょうひ）がんと診断されます。病気の進行は早く、がんが咽喉（いんこう）部分まで広がり激痛とともに呼吸困難な状態に陥ったとき、彼は「僕が死ぬ日にパーティしよう！」といいます。

パーティには身内14人と友だち12人が集まり、誕生会のような和気あいあいとした雰囲気で、全員がシャンパンを持ちウィルが乾杯の音頭をとりました。その後、病気になってからやめていた大好物の葉巻を1本巻き、火をつけて煙をそっと肺のなかに吸い込むと、「じゃあみんな、僕はこれからベッドに行って死ぬ。最後までパーティを楽しんでくれ。ありがとう」と別れの挨拶を告げました。

驚くような話ですが、オランダではこれは珍しい光景ではありません。

安楽死についての議論がオランダで始まったのは１９７０年代で、２００１年4月には「要請に基づく生命の終焉（しゅうえん）ならびに自殺幇助（ほうじょ）法（安楽死法）」が成立、「患者の安楽死要請が自発的」「医師と患者が共にほかの解決策がないという結論に至った」など6つの要件を満たせば、自殺を幇助した医師は送検されないことになりました（それ以前は、いったん送検されたあと、要件を満たせば無罪とされた）。その結果、いまではオランダの全死因の4％が安楽死になっています。

ひるがえって、日本はどうでしょう。

じつは日本でも1976年に日本安楽死協会が設立され、積極的安楽死の法制化を目指しましたが、高名な作家などが「安楽死法制化を阻止する会」を結成して「ナチスの優生学と同じ」と徹底的に批判したため頓挫し、無用な延命治療を中止するリビング・ウィルの普及に趣旨が変わりました。そのため、積極的安楽死を望むひとたちは縊死（いし）、墜落死、溺死、轢死（れきし）などを選択するほかなくなったのです。そのなかでも広く行なわれているのが「絶食死」で、日本緩和医療学会の専門家グループによる実態調査では、終末期の患者に点滴や飲食を拒まれた体験をした医師は3割にものぼるといいます。

最近では、「自殺報道は自殺を誘発する」として事件を報じないことも増えてきました。これには一理ありますが、しかしそうすると、この国で「死の自己決定権」を望むひとたちが置かれた理不尽な状況が見えなくなってしまいます。

オランダの数学教師が家族や友人に囲まれた華やかなパーティで人生を終えた一方、日本の高名な思想家はなぜ真冬の多摩川で「溺死」しなければならないのか。

わたしたちはそろそろ、この問題についてちゃんと議論すべきではないでしょうか。

【追記】

オランダでは近年、安楽死の概念が大幅に拡張されており、「死が避けられず、死期が迫っている」状況でなくても、「自殺願望を消す方法はなく、このままではより悲劇的な自殺をするだろう」と複数の専門家（医師・心理学者）が判断した場合は、健康な個人にも「平穏に自殺する権利」が認められるようになりました。

参考文献：宮下洋一『安楽死を遂げるまで』小学館

「男女を平等に扱わないこと」は差別なのか

2018年8月、東京医科大学が女子受験生に不利な得点操作をしていたことが明らかになったのにつづいて、文部科学省の調査ですくなくとも6大学が「不適切な入試の疑いが高い」とされました。報道によれば、女性や浪人回数の多い受験生を不利に扱ったり、合格圏外の同窓生の子どもを入学させたりしていたとされ、柴山昌彦（しばやままさひこ）文科相は

「合理的な理由が必ずしも見てとれない」として大学側に説明を求めました。

第三者委員会の調査によれば、東京医大は2年間で55人もの女子受験生を一方的に不合格にしており、これはもちろん許されることではありません。とはいえ、メディアの論調を見ていると、いったいなにが問題なのかをちゃんと理解できていないようです。

今回の不正は、「すべての受験生を平等に扱っていない」ことではありません。私立学校には公序良俗に反しない範囲で生徒を選別する裁量が認められており、宗教系の学校が信者の子どもを優先的に入学させることは世界じゅうでごくふつうに行なわれています。なにもかも男女平等にしなければならないのなら、男子校や女子校は存在できません。

アメリカの大学が人種別に入学者を選別していることはよく知られています。ハーバード大学が２０１３年に行なった学内調査では、学業成績だけならアジア系の割合は全入学者の43％になるが、他の評価を加えたことで19％まで下がったとされます。２００９年の調査では、アジア系の学生がハーバードのような名門校に合格するには、２４００点満点のＳＡＴ（大学進学適性試験）で白人より１４０点、ヒスパニックより２７０点、黒人より４５０点高い点数を取る必要があるとされました。

これはアジア系に対する人種差別そのもののように見えますが、あれほどＰＣ（ポリティカル・コレクトネス／政治的正しさ）にうるさいアメリカでも大きな社会問題になっているわけではありません。それは大学側が、こうした得点調整は「奴隷制の負の遺産を解消するため」であり、「大学には人種的多様性（ダイバーシティ）が必要だ」と説明しており、それが一定の理解を得ているからでしょう。これが「合理的な理由」で、説明責任を果たしているなら、属性によって扱いを変えても「差別」とは見なされないのです（ただし、黒人への優遇は「逆差別」だとして訴訟を起こされています）。

このことからわかるように、「不正」なのは私立の医大が男子受験生を優遇したことではなく、その判断に正当な理由があることを説明できないからです。仮に日本の救急医療の現場で男性医師が足りないという実態があるとして、それを解消するために男子受験生に加点するのであれば、「合理的な理由」として認められたかもしれません。もっともその場合は、得点調整の事実をあらかじめ公表することが前提となります。それによって、自分が不利に扱われると知った女子受験生は、男女を平等に扱う他の医大を目指すことができます。

グローバルスタンダードのリベラリズムでは、「差別とは合理的に説明できないこと」と定義されます。柴山文科相は就任早々、「教育勅語を道徳などに使うことができる」と発言して批判されましたが、皮肉なことに、なにが差別なのかを正しく理解していたのはこの文科相の方だったようです。

参考文献：朝日新聞2018年9月1日「『ハーバード大、アジア系を排除』米司法省が意見書　少数優遇措置に波及も」

「差別」とは証拠によって合理的な説明ができないこと

2016年6月、スタジオジブリのアニメ映画『思い出のマーニー』などのプロデューサーが、英紙『ガーディアン』で女性差別的な発言をしたとして問題となり、ネット上で謝罪する騒ぎがありました。

ジブリアニメはこれまですべて男性監督でしたが、ガーディアンの記者から、「今後、女性監督を起用することはあるのか」と問われ、プロデューサーは、「女性は現実的な傾向があり、日々の生活をやりくりするのに長けています。一方、男性は理想主義的な傾向があります。ファンタジー映画には、そうした理想主義的なアプローチが必要です」として、「女性監督にファンタジー映画はつくれない」ととられても仕方のない発言をしています。

そもそもプロデューサーは取材時点でジブリを退社しており、会社の方針についてこたえる立場にありませんでした。しかしそれ以上に残念なのは、アカデミー賞にノミネートされた男優・女優がすべて白人だったり、これまでアカデミー賞監督賞を受賞した女性が1人しかいないことなどで、映画産業の人種差別、性差別に注目が集まっている状況に無頓着だったことでしょう。「政治的に正しい」回答（私はもうジブリの社員ではありませんが、今後は女性監督が活躍することを期待しています）をしていれば、それで済んだ話です。

もうひとつ残念なのは、謝罪の文面を読むかぎり、「男と女はちがう」と述べたことを謝罪しているように思われることです。かつてのフェミニズムは、「男女に生殖器官以外のちがいはなく、性差はすべて文化的なものだ」と主張しましたが、こうした硬直したイデオロギーを支持するひとはいまでは少数派です。

幼い子どもにクレヨンと白い紙を渡して好きな絵を描かせると、女の子は赤、オレンジ、緑といった「暖かい色」で人物を描こうとし、男の子は黒や灰色といった「冷たい色」を使って、ぶつかろうとするロケット、別の車に衝突しようとする車などを描きなぐります。これは親や教師が「男の子らしい」あるいは「女の子らしい」絵を描くよう指導したからではなく、男と女では網膜と視神経に構造的なちがいがあり、色の使い方や描き方、描く対象の好みが分かれるからです。

幼児の遊びを観察すると、生後6カ月の時点でさえ、男児は集団での遊びを好み、女児は特定の相手とペアで遊ぼうとします。さらに、言語中枢とされる脳の左半球に卒中を起こした男性は言語性ＩＱが平均で20％低下しますが、女性は９％しか低下しません。これは男性の脳の機能が細分化されていて、言語を使う際に右脳をほとんど利用しないのに対し、女性の脳では機能が広範囲に分布しており、言語のために脳の両方の半球を使っているからです。

こうした主張がどれも「差別」でないのは証拠（エビデンス）があるからです。逆にいえば、差別発言とは「合理的に説明できない（アカウンタブルでない）」主張のことです。

「男と女はちがう」と指摘することが差別になるわけではありません。問題は、個人の主観的な思い込みやアニメ業界の常識で、「女にはファンタジーは向かない」と決めつけたことにあります。

このことがわからないと、「差別」との批判を抑圧ととらえ、過剰に自己規制するか、感情的に反発するという不毛なことになってしまうのです。

ヘビを差別しない「明るい社会」

ヘビを気持ち悪いと恐れるのは生得的な感情です。猛毒を持つヘビに安易に近づいた個体が生命を落とし、警戒した個体が生き延びて子孫を残したことで、ヘビへの強い嫌悪感が「選択」されました。これが進化論の標準的な説明で、ヒトだけでなくチンパンジーの子どもも同じようにヘビを恐れることがわかっています。長大な進化の時間軸のなかで一部のヘビが毒を持つようになり、それに対して他の生き物は、長くてにょろにょろ動くものを嫌悪するようになることで対抗しました。わたしたちはこうした「共進化」の末裔なのです。

ところでここで、「イヌやネコをかわいがってヘビを嫌うのはヘビに対する差別だ」と主張するヘビ愛好家が現われたとしましょう。すべての生き物は生まれながらにして平等なのだから、長くてにょろにょろ動くというだけで、毒を持たない〝善良な〟ヘビまで嫌うのは「生き物権」の侵害だというのです。

「生き物権」を普遍的な自然権とするならば、ヒトを害さないヘビを不当に貶めてはならないとの主張はどこも間違ってはいません。ヘビの権利を擁護する活動家は、法によってヘビへの差別を禁じると同時に、教育によって差別感情を矯正するよう求めるでしょう。社会の多数派がこの「リベラル」な政治的立場を受け入れれば、小学校ですべての生徒に「ヘビを差別しない明るい社会」を目指す授業が行なわれるようになります。

しつけや教育によってヘビへの気持ち悪さがなくなるのなら、これでなんの問題もありません。しかし困ったことに、ヘビへの嫌悪感は遺伝子に埋め込まれたプログラムなので、どれほど教育されても気持ち悪い感じは消えません。ところがヘビの権利を擁護する社会ではその嫌悪感は口にしてはならないと抑圧され、さもなくば「差別主義者」のレッテルを貼られて社会的に葬り去られてしまうのです。

「ヘビ差別」をなくそうとする教育的努力は、必然的に個人の内面に介入します。子どもたちは「ヘビを差別することは道徳的に許されない」と教えられますが、ヘビを見ると気持ち悪さを抑えることができません。この矛盾を解消しようとすれば、自分を「不道徳」な存在として断罪するか、「ヘビを差別する自分は正しい」と開き直るか、どちらかしかありません。

誰も自分のことを嫌いになることはできませんから、自己批判はとても苦しい作業です。そこで自分を「不道徳」と断罪したひとは、やがてその感情を他者に投影し、あらゆる「差別」を血眼になって探し、相手を批判することで自身の「正義」を証明しようとするでしょう。「差別する自分は正しい」と開き直ったひとはそれを「偽善」と罵り、自己正当化に使えるありとあらゆる理屈（たとえば陰謀論）にしがみつくかもしれません。

この問題の本質はどこにあるのでしょう？　それは現代社会の価値観と、進化の過程でつくられた（無意識の）感情が常に整合的であるとはかぎらないことです。解決困難な社会問題の多くはこの両者の衝突から生じますが、ひとびとの内面に道徳的に介入すること（善意による説教）はなんの解決にもならず、かえって事態を悪化させるだけです。

さて、この寓話はなんのことをいっているのでしょうか。それはみなさん一人ひとりが考えてみてください。

「善意」のひとたちによって10万個の子宮が失われていく

２０１３年4月に子宮頸がんワクチンが定期接種になったあと、ワクチン接種が原因だとされる健康被害がテレビや新聞などで繰り返し報じられるようになりました。はげしく痙攣する少女や、車椅子姿で「元の身体に戻してほしい」と訴える女性を覚えているひとも多いでしょう。２０１６年７月には、「被害者」による世界ではじめての国家賠償請求訴訟も起こされました。

子宮頸がんはＨＰＶウイルスの感染によって引き起こされる病気で、日本でも20代、30代を中心に増加しており、毎年３０００人が生命を失い、子宮摘出が必要と診断される新規患者は年間約1万人にのぼります。子宮頸がんワクチンはこの感染症を予防できる画期的な新薬で、ＷＨＯ（世界保健機関）は世界各国の政府に定期接種を強く勧告しています。

もちろん、どんなに効能のあるワクチンでも、強い副反応があるのなら接種を勧められません。ところが不思議なことに、日本にさきがけて子宮頸がんワクチンを定期接種にした諸外国では同様の健康被害は報告されていないのです。

子宮頸がんワクチンは世界約130カ国で承認され、71カ国で女子に定期接種、11カ国で男子も定期接種になっています（女性の多くが男性パートナーから感染するためです）。ところが日本は、世界で唯一、政府（厚労省）が「積極的な接種勧奨の一時差し控え」を行なっており、WHOから繰り返し批判されています。

この問題を追及したのが、医師で医療ジャーナリストでもある村中璃子さんで、その功績によって科学雑誌『ネイチャー』などが主催する2017年度のジョン・マドックス賞を与えられました。「公共の利益のために科学を広めたことへの貢献」を称える栄誉ある賞ですが、当初、この受賞を報じたメディアはほとんどありませんでした。その理由は、村中さんの『10万個の子宮』（平凡社）を読むとよくわかります。「子宮頸がんワクチン問題」とは、「健康被害」の訴えを利用して、一部の医師・研究者や人権派弁護士、そしてメディアがつくり出したものだったのです。

じつはすでに2015年に、名古屋市がワクチンの副反応を調べる7万人の疫学調査を実施しています。これは国政時代にサリドマイドやエイズなどの薬害の悲惨さを知った河村たかし名古屋市長が「被害者の会」の要望で実施したものですが、名古屋市立大学による検証結果は、「ワクチンを打っていない女性でも同様の症状は出るし、その割合は24症例中15症例で接種者より多い」という驚くべき内容でした。しかしこの科学的な証拠（エビデンス）は、「圧力」によって公表できなくなってしまいます。

村中さんは、国賠訴訟が決着するまでの10年間、ワクチンの定期接種が再開されなければ、子宮頸がんによって10万人の女性の子宮が失われると警鐘を鳴らしています。優柔不断な対応で事態を悪化させた厚労省はもちろんですが、不安を煽ったメディアにも大きな責任があります。

煽情的（せんじょうてき）な報道の結果、日本でのワクチン接種率は約70％から1％以下になってしまいました。とりわけ名指しで「誤報」を指摘された新聞社・テレビ局は、沈黙や無視ではなく、「10万個の子宮」を守るための行動が求められています。

Part 2

わたしたちの
やっかいな習性

恋愛やビジネスに成功するカンタンな方法

「温かな気持ち」「高い地位」などの言葉をわたしたちは当たり前のように使っています。「蜜のような甘い言葉」は、愛の囁きの比喩として、だれでもすぐに理解できます。でも考えてみれば、これは不思議な話です。世界にはさまざまな言語や文化、習慣があるのに、なぜこの比喩が注釈もなく翻訳できるのでしょうか。

この疑問に、現代の脳科学はこう答えます。「それは比喩ではなく、実際に脳の味覚に関する部位が活動しているからだ」――愛の言葉と蜜は、脳にとっては同じ刺激なのです。

これだけなら驚くようなことではないかもしれませんが、テルアビブ大学のタルマ・ローベル教授は、この因果関係が逆になっても成り立つことを発見しました。「甘いものを食べながら聞いた言葉は甘く感じる」のです。

ほんとうにこんな不思議なことがあるのでしょうか。それを次のような実験で確かめてみましょう。

学生がエレベーターに乗ると、そこには本とクリップボード、コーヒーカップで手がふさがった助手がいます。助手は学生に、「ちょっとコーヒーカップを持ってくれませんか」と頼みます。

次に学生が研究室に入ると、実験担当者からある（架空の）人物についての資料を読むようにいわれます。その後、学生にこの人物の印象を尋ねます。

ランダムに選ばれた学生が同じ資料を読むのだから、質問への回答に統計的な差は生まれないはずです。しかし興味深いことに、特定の質問項目にだけはっきりとしたちがいが表われました。それは、「親切／利己的」など、性格が温かいか冷たいかを連想させる質問でした。

なにが学生たちの回答を左右させたのでしょう。

じつはエレベーターのなかの助手は2種類のコーヒーを持っていました。ホットコーヒーとアイスコーヒーです。

驚いたことに、エレベーターのなかで一瞬、ホットコーヒーを持った学生は資料の人物を穏やかで親切だと感じ、アイスコーヒーを持った学生は怒りっぽく利己的だという印象を抱いたのです。温度の感覚は、無意識のうちに、その後の人物評価に影響を与えるのです。

こうした知見から、ローベル教授は次のようにアドバイスします。

・初対面のひとには温かい飲み物を出した方がいい。
・交渉の際は、やわらかな感触のソファに座らせると相手の態度が柔軟になる。
・相手より物理的に高い位置に座ると、交渉が有利になる。
・相手と冷静に話し合いたいときは距離を取り、感情に訴えたいときは身体を寄せる。
・プレゼンの資料は重いものを用意する。ひとは重い本を持つと、それを重要だと感じる。
・赤は不安や恐怖を高める。試験問題を赤で書いたり、受験番号を赤で印刷しただけで成績が下がる。
・その一方で、赤は注目を引く。スポーツではユニフォームが赤のチームが有利だし、赤い服の女性や赤いネクタイの男性はもてる。

どうでしょう、すぐに実行できることばかりではないでしょうか。最新の脳科学を使って恋愛やビジネスに成功してください。――結果は保証しませんが。

参考文献：タルマ・ローベル『赤を身につけるとなぜもてるのか？』文藝春秋

女は男より競争が得意？

「女性は男性より競争に消極的で、出世争いで不利だ」といわれます。これは根拠のない偏見ではなく、次のような実験で確認されています。

男女2人ずつのグループに計算問題を解いてもらい、正解すると100円の報酬を支払います。5問解けば500円もらえる「出来高払い」の条件では、男女に成績の差はありませんでした。

次に4人を競争させ、もっとも多く問題を解くと賞金の全額を受け取れるという「勝者総取り」にルールを変えてみます。たとえば自分が6問解き、残りの3人が5問なら2100円もらえるのですから、みんな必死に問題に取り組みます。この競争によって全体のパフォーマンスは向上しますが、やはり結果に男女差はありませんでした。

最後に研究者は、男性と女性の参加者にどちらのルールが好ましいか訊きます。すると、勝てる確率は同じにもかかわらず、男性の7割強が「勝者総取り」を選び、女性の7割弱は「出来高払い」を望んだのです。

女性の「競争嫌い」は脳科学でも説明できます。脳の後部に位置する視覚大脳皮質は相手の表情から感情を読み取ることに関係しますが、ストレスを与えられると女性はこの領域が著しく活性化する一方、男性は逆に活動が抑制されます。これは緊急事態への対処法が男女で異なるためで、強いストレスを受けると女性は周囲のひとたちの共感を探し求めるのに対して、男性は周囲の反応を無視して問題に集中しようとするのです。

進化の歴史を通じて、男性（オス）は「競争する性」、女性（メス）は「投資する性」として淘汰の強い圧力を受けてきました。女性を獲得できなければ子孫を残せない男にとって失うものはありませんが、女性は妊娠から授乳まで大きな投資をして子どもを産み育てます。失うものが多ければ、リスクに対して慎重になるのは当然です。

あらゆるゲームに共通するのは、「リスクをとらなければ勝利はない」ということです。男女の生理的な差を考えれば、競争社会の勝者に男性が多いのは「ガラスの天井」のせいではなく、リスクゲームへの参加者の数のちがいということになります。

しかし、競争にはもうひとつ、「負ければなにも得られない」という現実があります。リスクをとった勝者の背後には、敗者となって脱落していく膨大な数の男性がいます。彼らが社会の底辺にふきだまるようになったのが「格差社会」です。

こうして、問題はじつは無謀なリスクをとる男の側にあるのではないか、との疑問が生まれます。男性は自分の能力を過信して「勝てる」と錯覚しており、女性は自分の実力を冷静に判断して不利な競争を避けているのです。この仮説を証明するように、勝つ見込みがあると思えば、女性は男性よりも積極的にリスクをとり、勝負に執着するとの研究も現われました。

現代のような複雑な社会では、勝ち負けはスポーツのようにすっきりとは決まらず、優勢と劣勢が入れ替わりながらずっと続くのがふつうです。男性は決着のつく「有限ゲーム」は得意ですが、終わりのない「無限ゲーム」を生き延びるには、不利な競争を避けて有利なときだけリスクをとる女性の戦略の方が効果的です。

こうして先進国では、徐々に女性が社会の中核を占めるようになってきました。日本は男女平等ランキングで世界最低レベルの121位ですが、「女性が活躍できない社会に未来はない」のです。

参考文献：ポー・ブロンソン、アシュリー・メリーマン『競争の科学　賢く戦い、結果を出す』実務教育出版

ゴマはすればするほど得をする

お話の世界では、努力は報われ、正直者は幸福になり、正義は最後に勝つことになっています。しかし、現実はどうでしょうか。

アメリカの研究者が調べたところ、職場では仕事を頑張るより上司の評価を「管理」した方が、より高い勤務評価を得ていました。評価の管理とは、ようするに〝おべっか〟のことです。

もちろん、どんな組織にもゴマすりはいます。「そんな奴はみんなから嫌われるから、最後は失敗するにきまってる」と思うかもしれません。しかしこれも、調べてみた研究者がいます。すると驚いたことに（まあ、驚かないひともいるかもしれませんが）、どれほど見え透いたお世辞であっても、ゴマすりが逆効果になる限界点はありませんでした。ゴマはすればするほど得になるのです。

こうして研究者は、次のように結論づけました。

「上司を機嫌よくさせておけば、実際の仕事ぶりはあまり重要ではない。また逆に上司の機嫌を損ねたら、どんなに仕事で業績をあげても事態は好転しない」

断っておきますが、これは「成果主義」「実力主義」の代名詞になっているアメリカ企業の話です。

さらに不愉快な研究もあります。アメリカのビジネス専門誌の調査では、同調性の低い人間の方が、同調性の高い人間より年収が1万ドル（約110万円）も多くなりました。「同調性が低い」というのは、利己的で他人のことなどどうでもいいと思っている、ということです。組織においては、上司にゴマをすりつつ、自分勝手に昇給を要求することが成功の秘訣なのです。

しかしこれでは、善人は報われないのではないでしょうか。残念ながらそのとおりです。

わたしたちが他人を評価するとき、その80％は「温かさ」と「有能さ」というふたつの要素で決まります。問題なのは、このふたつが両立しないと見なされていることです。親切なのはよいことですが、あまりに親切すぎると「無能」の烙印を押されます。逆に傲慢で嫌な奴ほど、第三者にとっては有能で権力があるように映ります。その結果、企業のＣＥＯには常軌を逸して嫌な奴、すなわちサイコパスの比率が高くなります。彼らはみんなのために必死に働くのではなく、組織のなかで権力を握ることだけに全精力を注ぐのです。

これがすべて事実なら、善人は救われないと思うでしょう。これもそのとおりで、職場での冷遇は、肥満や高血圧以上に心臓発作のリスクを高めることがわかっています。

東芝、日産、神戸製鋼から東レまで、日本を代表する企業の不祥事がつづいています。国会では、〝モリカケ〟問題で官僚が冷や汗をかきながら答弁しています。いつから日本人はこんなに無様になったのか。目の前に不正があるのなら、一身を賭して真実を暴き、悪を掣肘すべきではないのか。そんな怒りにふるえるひともいるかもしれません。

でも、彼らはみんな〝宮仕え〟の身です。アメリカ以上にベタなムラ社会である日本の会社や官庁に、硬骨漢や正義の士がはたして何人いるでしょうか。忖度(そんたく)できるひとしか出世しないのなら、忖度が得意なひとがどこにでも現われるのは当たり前の話です。

参考文献：エリック・バーカー『残酷すぎる成功法則』飛鳥新社

子どもはほめるとダメになる

「強く願えば夢はかなう」というポジティブシンキングは日本でも人気です。その源流であるポジティブ心理学では、うつ病や神経症など、こころのネガティブな側面だけを研究してきた従来の心理学を批判し、楽観主義で幸福に生きることを説きます。

水の入ったコップを見て「半分しかない」と思うか、「半分も残っている」と思うかは主観の問題ですが、心理的な効果は大きく異なります。生き物の進化の歴史を考えるならば、わたしたちがつねに悲観的（ネガティブ）にものごとを見るように「設計」されていることは明らかです。肉食獣がうようよいるサバンナで、天気がいいからとのんびり日光浴を楽しむような原始人は真っ先に死に絶えてしまったでしょう。

とはいえ石器時代より格段に安全になった現代社会で、同じようにびくびくしながら生きる必要はありません。こころのネガティブな本性を考えれば、楽観的すぎるくらいの方がちょうどいいのです。

ここまでは説得力ある理屈ですが、これを子育てにあてはめ、「子どもはほめて伸ばす（自尊心を高める）」となると話が変わります。さまざまな研究によって、子どもをただほめるのは意味がないばかりか有害でもあるとわかってきたのです。

成績のかんばしくない大学生を無作為に選び、試験前に自信を持たせる応援メッセージ（君ならできる！）を毎週送ったところ、さらに成績が下がって落第必至になってしまいました。自尊心の低さと薬物依存や10代の妊娠などの問題行動のあいだに相関関係があることはまちがいありませんが、ここから「自尊心が高いのはいいことだ」という結論は導けません。高すぎる自尊心は、自尊心が低いのと同様に問題なのです。

研究者は、自尊心の高さの利点として実証されていることはふたつしかないといいます。ひとつは自主性が高まることで、もうひとつは機嫌よく過ごせること。

これにはよい面と悪い面があって、信念に基づいて行動し、リスクを引き受ける強い意志を持ち、困難を克服したり失敗から立ち直るのには有効ですが、その反面、周囲の反対を無視して破滅的な行動に走ったり、自分が他人より優れていると思い込んだりします。ほめられた子どもは、それだけで満足して努力しようと思わないのです。

プロスポーツの世界では、アスリートに成功したプレイの映像を見せてポジティブなイメージを高めるのではなく、ミスをした場面を繰り返し見せるメンタルトレーニングが行なわれています。これは失敗を反省させるためではなく、試合でミスをしても過剰に反応しないようにする訓練です。どんな選手でもミスはします。勝敗を分けるのはそのときパニックを起こさず、不利な状況に冷静に対処できるかどうかなのです。

とはいえ、ポジティブシンキングがまったくのムダというわけではありません。ドイツの小学校で英語を習いはじめた子どもたちに、「英語が話せたらどんないいことがあるか」作文を書かせたところ、夢を語ることで成績が大きく伸びることがわかりました。しかしこれには条件がひとつあります。もっとも効果があったのは、英語の勉強がどれほど大変か、ネガティブなこともいっしょに考えた子どもたちだったのです。

参考文献：ロイ・バウマイスター、ジョン・ティアニー『WILLPOWER 意志力の科学』インターシフト

依存症になるのは理由がある

ドーパミンはもっとも有名な脳内の神経伝達物質のひとつですが、その発見は偶然でした。

1953年にカナダ・モントリオールの若い2人の科学者が恐怖反応を再現しようとラットの脳に電極を埋め込んだのですが、ラットは電気ショックを嫌がって逃げ回るどころか、もういちど同じ刺激を欲しているかのように、何度も電気ショックを受けた場所に戻ってしまいました。ラットにとって幸運（もしくは不幸）だったのは、科学者の実験スキルが未熟で、電極を間違って側坐核（そくざかく）と呼ばれる脳の古い部位に埋め込んでしまったことです。ここは現在では「報酬中枢」として知られており、刺激によってドーパミンが放出されると、ラットは同じ刺激を何度も欲するようになるのです。

その後の実験で、ドーパミンの「快感」がとてつもなく強烈なことが明らかになります。ラットが自分でレバーを押して側坐核を刺激できるようにすると、食べることも、水を飲むこともせず、交尾をする機会にも興味を示さずに、1時間（3600秒）に2000回近くもひたすらレバーを押しつづけました。また電流を流した網の両端にレバーを設置し、それぞれのレバーで交互に刺激が得られるようにすると、ラットたちはひるむことなく電流の通った網の上を行き来し、足が火傷で真っ黒になって動けなくなるまでやめようとしなかったのです。

こうした結果を見て1960年代に、同じことを人間の脳で実験しようとする研究者が現われました。現在の人権感覚では考えられませんが、当時は、重度の精神病患者の前頭葉を切断して廃人同然にするロボトミー手術が世界じゅうの病院で当たり前のように行なわれていたのです。

実験対象となったのは長年にわたりひどい抑うつに苦しむ若い男性でしたが、側坐核に電流が流れたとたん、「気持ちが良くて、暖かい感じ」がし、自慰や性交をしたいという欲望を感じました。そしてラットと同様に、3時間のセッションで1500回以上も電極のスイッチを押したのです。

研究者たちはドーパミンが抑うつの治療に使えるのではないかと期待しましたが、すぐに不都合な事実が明らかになります。憂うつな気分を晴らす効果は一時的で、すぐに消えてしまうのです。

ドーパミンが生じさせるのは快感ではなく、きわめて強い「快感の予感」でした。側坐核を刺激すると、被験者は「頻繁に、ときには気が狂ったように」ボタンを押しますが、そのときの気分を尋ねると、「もうすこしで満足感が得られそうで得られず、焦るばかりですこしも楽しくなかった」とこたえるのです。

報酬中枢の役割は、「あらゆるリスクを冒しても欲しいものを即座に手に入れたい」と思わせることにあります。ヒトが進化の大半を過ごした旧石器時代には、食べ物を獲得したり性交をする機会はきわめて稀だったので、生き延びて子孫を残すには強い衝動で死に物狂いにさせる必要があったのです。

ところがゆたかな時代になると、わたしたちは食べ物、セックス、買い物からゲームまで、ありとあらゆる「報酬の機会」に囲まれて暮らすようになりました。これがさまざまな依存症を引き起こし、人生を困難なものにする理由になっているのです。

参考文献：エレーヌ・フォックス『脳科学は人格を変えられるか？』文春文庫

「いじめ防止対策」すればいじめが増える？

いじめが相変わらず、大きな社会問題になっています。そこで文科省の有識者会議が、「自殺予防、いじめへの対応を最優先の事項に位置付ける」との提言をまとめ、「いじめを小さな段階で幅広く把握するため」いじめの認知件数が少ない都道府県への指導を求めました。

いじめ防止対策推進法は子どもが「心身の苦痛を感じているもの」すべてをいじめと定義するのですが、報道によれば、２０１４年の調査で最多の京都府と最少の佐賀県のあいだに約30倍の開きがあったのだそうです。これは「佐賀県はいじめが少ない」ということではなく、「教師が真剣にいじめと向き合っていない」ということのようです。

しかしそうすると、次のような疑問が湧いてきます。

いじめ認知件数最多の京都府は、小さな段階でいじめの芽がつみとられるのですから、子どもたちはいじめのない学校生活をのびのびと送っているはずです。それに対して佐賀県では、教師と学校の怠慢によって弱肉強食の文化が学校に蔓延し、いじめ自殺が相次いでいることになります。しかし不思議なことに、そんな話は聞いたことがありません。だったらこの政策提言にエビデンス（証拠）はあるのでしょうか。

いじめ対策への違和感は、それが「教師がきびしく指導すれば、子どもは素直に従うはずだ」という貧しい人間観に基づいていることです。そういう自分は、子ども時代に、なんでも大人にいわれたとおりにしていたのでしょうか。――そんな魂の抜けたようなよい子が〝有識者〟になるのかもしれませんが。

しかしだれもが知っているように、人間はもっと複雑です。

禁煙を促すために、タバコのパッケージに健康への害を明示することが各国で義務づけられています。これはどこから見てもよい政策に思えますが、心理学の研究者から不都合なデータが出てきました。喫煙者をさらに減らそうと腫瘍や遺体などどぎつい画像をパッケージに載せたところ、逆に喫煙者が増えてしまったというのです。

なぜこんな奇妙なことが起きるのでしょうか。それは次のように説明できます。

喫煙者がタバコを吸いたくなるのは、ストレスを感じたときです。そのため彼らは、強い禁煙メッセージ（このままだと肺がんで死ぬことになる）を受け取ると、その不安を打ち消すためにますますタバコを吸いたくなってしまうのです。

「よいことが悪い結果をもたらす」という不都合な事例は、ほかにいくつも見つかっています。たとえば健康増進のため、マクドナルドがヘルシーなサラダをメニューに加えたところ（健康に悪い）ビッグマックの売り上げが驚異的に伸びました。

消費者は、サラダを注文したことでビッグマックの高カロリーが帳消しになると誤解しただけではありません。メニューにヘルシーなサラダがあると知っただけでも、目標を達成したような満足感を覚え、いそいそとビッグマックを注文したのです。

だとすれば、文科省のいじめ調査も逆効果になる可能性があります。

「対策」の結果で、学校でものすごい数のいじめが行なわれていることが判明したとしましょう。するとそれを知った子どもは、みんながやっているのだから、自分もいじめていいと思うかもしれないのです。

親がいくら説教してもいじめはなくならない

「いじめはなにをしてもなくならない」として、「強く生きろ」といじめられた子どもを叱咤(しった)するひとがいます。こうした発言が公になることはほとんどありませんが、教育関係者を含め多くのひとが、「いじめられる側にも問題がある」と思っていることはまちがいありません。

この主張は前半が正しく、後半は間違っています。

子どもは必ず友だち集団をつくりますが、そのためには仲間(内)と仲間でない者(外)を区別する指標が必要で、その境界を超えて仲間に加わるのが通過儀礼です。集団の結束を高めるために特定のメンバーを排除するのも、仲間にしてもらうのに「小遣い」のような代償を支払うのも、古今東西、子どもの世界ではどこでも起きていることです。子どもは本能的に仲間はずれを恐れるので、理不尽な要求を拒絶することができないのです。

人間関係を「内」と「外」に分けて差別するのは普遍的な行動原理(ヒューマンユニヴァーサルズ)なので、秘密結社や宗教団体から会社まで大人社会の至るところで見られます。「いじめに負けるな」と励ますのは、これからの長い人生を考えての〝善意〟

なのでしょう。

いじめ問題が「子どもの本性」だとすれば、学校や行政をどれほど叩いても根絶できません。そこで最近は、親の責任を問う声が強くなってきました。「ちゃんと子育てすれば、いじめのような卑劣なことをするはずはない」というわけです。

しかし残念ながら、この方法もうまくいきません。発達心理学の研究者が、子どもを正しくしつけるよう親に「介入」してその効果を調べたところ、親子関係では改善が見られたものの、子どもの学校での行動はまったく変わらなかったのです。

なぜこのようなことになるかというと、子どもが「家のなかでの自分」と「学校（友だち集団）のなかでの自分」を無意識のうちに使い分けているからです。その理由は、家庭でわがままいっぱいに育てられた子どもが、学校で同じようにしたらどうなるかを考えればわかるでしょう。子ども集団のなかでは、掟（ルール）に従えない自分勝手な子どもが真っ先に排除されます。仲間はずれにされないためには、「キャラ」を変えるしかないのです。

家と学校で子どもがちがう「自分」になるのなら、親がいくら説教しても効果がないのは当然です。この主張に直感的に反発するひとも、自分の子ども時代を振り返れば思い当たることがあるはずです。

だとしたら、「いじめはなくならない」という不愉快な事実を受け入れたうえで、それが限度を超えないよう抑止する制度をつくるしかありません。

具体的には、公立学校でも悪質ないじめと認定した場合は、校長の権限で退学などの措置をとれるようにすべきです。子どもは損得に敏感ですから、明確に罰則が示されれば恐喝まがいの行為は躊躇するでしょう。

それと同時に転校を容易にして、いじめられた子どもが大きな負担なく友だち関係をリセットできるようにすることです。いったんいじめの標的になるとそこから逃れるのは困難で、本人の責任を問うても仕方ありません。

これでもいじめを根絶することはできないでしょうが、それで納得できないなら、あとはひとつしか方法がありません。いじめは、子どもたちを強制的に閉鎖空間に押し込めることから起こります。それをなくすには、学校制度をやめてしまえばいいのです。

参考文献：Judith Rich Harris (2006) *No Two Alike: Human Nature and Human Individuality*, W. W. Norton & Company

きれいごとがうさんくさいのには理由がある

「きれいごとはうさんくさい」と、多くのひとは内心思っているでしょう。現代の心理学は、これを「道徳の貯金」理論で説明します。

アメリカの一流大学の白人学生に、企業の採用担当者になったつもりになって、ひとグループ5人で3グループの応募者を評価させました。履歴書の内容はどれも同じで、いずれのグループも有名大学で経済学を専攻し、優秀な成績で卒業した4番目の応募者がもっともすぐれていました。異なるのはこの〝スター応募者〟の属性で、第1グループは白人女性、第2グループは黒人男性、第3グループ（対照群）は白人男性です。ほとんどの被験者が、この〝スター応募者〟をもっとも高く評価しました。

次の課題では、被験者は地方の町の警察署長になります。住民のほとんどが白人で、警察内部でも人種的なジョークが口にされ、何年か前に黒人の巡査を採用したことがあるのですが、職場での嫌がらせを理由に1年で辞めてしまいました。あなたはこうした状況を変えたいと思っていますが、その一方で、警察本来の仕事を優先するには警官たちに不安を生じさせるようなことをしたくはありません。今年の新人を採用するにあたって、あなたは人種を考慮すべきでしょうか？

被験者はランダムに3つのグループに分けられており、「黒人だという理由で採用しないのは差別だ」という回答と、「この状況では白人警官を選ぶのも仕方ない」との回答はほぼ同じになるはずです。

しかし実際は、グループのあいだにはっきりとしたちがいがありました。第一の課題（企業の採用担当者）で〝スター応募者〟が白人だった学生は「人種を考慮すべきではない」とこたえ、〝スター応募者〟が黒人だった学生は「仕方ない」とこたえることが多かったのです。

研究者はこれを、「道徳は貯金のようなもので、増えたり減ったりする」からだと説明します。

企業の採用担当として黒人の応募者を選んだ学生は、「自分は人種差別主義者ではない」と自信を持ってアピールできたので、警察署長になったときに白人を優先する「人種差別」ができます。それに対して白人の応募者を採用した学生は、道徳の貯金ができなかったので、警察署長の課題では「人種を考慮してはならない」とこたえるのです。

この実験の結論をわかりやすくいうと、次のようになります。「きれいごとをいうひとは、道徳の貯金箱がプラスになったように（無意識に）思っているので、現実には差別的になる」のです。

興味深いのは、企業の採用担当のときに〝スター応募者〟が女性だった場合でも、白人警官を選ぶ割合が高くなることです。これは、「自分は女性差別をしない」というアピールが、人種差別を正当化するための「貯金」になったことを示しています。「きれいごと」はなんにでも使えるのです。

「だからきれいごとをいう人間は……」

おっと、これ以上いうと「道徳の貯金」がプラスになって、差別的になってしまうかもしれないので、これくらいでやめておきましょう。

参考文献：Benoît Monin and Dale T. Miller (2001) Moral Credentials and the Expression of Prejudice, *Journal of Personality and Social Psychology*

高齢者に偏見を持つと早死にする?

わたしたちはなぜ、初対面のひとにすぐにレッテルを貼ってしまうのでしょうか。

どのような相手にも偏見なく平等に接しなくてはならない。これはもちろん大切なことですが、このような道徳が進化の過程で選択されなかった理由はちょっと考えればわかります。危害を加えようとする相手に、「怖い」とか「危ない」とかの先入観なしに近づいていった〝良識〟あるひとは、子どもをつくる前に死んでしまったので、わたしたちの先祖にはなれなかったのです。

しかしいまでは、世界はずっと安全になりました。かつてのように人種や宗教のステレオタイプで「敵」を見分ける必要はなくなり、その弊害ばかりが目立つようになったのです。

差別や偏見は徐々になくなってきているとはいえ、ステレオタイプには大きな問題があります。それが「自己成就予言」です。

女子生徒が数学のテストを受けるとき、「女子は男子に比べて数学の成績が悪い」というデータを示すと実際に成績が大きく下がります。黒人の生徒では、「自分が黒人である」と意識させただけで試験の成績が下がることがわかっています。ステレオタイプが社会に広く共有されていると、「劣っている」とされる少数派（マイノリティ）は、無意識のうちにネガティブなイメージを受け入れて、そのとおりの結果を招いてしまうのです。

高齢者のなかでも年をとることを否定的に感じているひとは、喫煙のような健康に悪い習慣があり、心筋梗塞などの心疾患を起こしやすいことがわかっています。だとしたら、このステレオタイプはどのようにつくられたのでしょうか。

研究者はそれを知るために、1968年までさかのぼるデータを使って、18歳から49歳のアメリカ人約400人が老人に対してどのようなイメージを持っていたかを調べ、その後の（2007年までの）健康状態と比較しました。すると驚いたことに、若いときに老人に対してネガティブなステレオタイプを持っていたひとは、そうでないひとに比べてずっと心疾患を起こしやすかったのです（老人に対してネガティブだったひとの25％が心疾患を患ったのに対し、ポジティブだったひとは13％だけでした）。

被験者を18歳から39歳までに絞って、60歳までの心疾患との関係を調べても同じ結果が出ました。性別を除けば、還暦までに心筋梗塞などを起こすかどうかは若いときのステレオタイプ（老人への偏見）で説明できたのです。

人種や国籍、性別や性的指向など、差別や偏見は通常、自分とは「ちがう」相手に向けられます。ヘイトスピーチを平然と叫ぶことができるのは、「俺たち（日本人）」と「奴ら（外国人）」のあいだの境界線が明確だと思っているからです（だからネトウヨ〈ネット右翼〉は外国人参政権や帰化に反対します）。

ところが高齢者を「ヘイト」していた若者は、やがて自分が高齢者になったことに気づきます。しかしそのときには「予言」は自己成就し、健康を害して早世するか、偏見のとおりの「みじめな老人」になってしまうのです。

参考文献：Becca R. Levy, et al.（2009）Age Stereotypes Held Earlier in Life Predict Cardiovascular Events in Later Life, *Psychological Science*

子どものときにすぐにマシュマロを食べてしまったら

ネット上のフリマサービスに現金が出品されていることが話題になりました。1万円札3枚が3万6000円、1万円札4枚が4万7300円で売れたというのです。なぜこんな不思議なことが起きるかというと、一部のひとがクレジットカードで現金を購入しているからのようです。

クレジットカードにはショッピング枠とキャッシング枠が設定されています。キャッシングはATMなどから現金を引き出すことで、ほとんどの場合、利息制限法の上限である年20%（元金10万円未満の場合）の金利が上乗せされます。それに対してショッピング枠では、翌月一括払いであれば、クレジットカード会社に支出を立て替えてもらっても金利はかかりません（なぜこんなウマい話になっているかというと、店からカード会社に手数料が支払われるからです）。

現金を高い値段で買うという非合理的な行動は、カードのショッピング枠とキャッシング枠に大きな差があることから説明できます。

多重債務者対策の規制強化の影響で、クレジットカードのキャッシング枠はゴールドカードでも10万円程度しかないのがふつうです。その一方でショッピング枠は拡大される傾向にあり、いまや100万〜300万円というのも珍しくありません。となると、カードローンやキャッシング枠がいっぱいになってしまったひとが、なんとかしてショッピング枠を利用しようと考えるのも無理はありません。このようにして、3万円を3万6000円で買う取引が成立するのです。

クレジットカードの一括払いでは、最長で50日、最短でも20日間支払いを立て替えてもらえます。そこから計算すると、この取引は年利換算で272%から2526%になります。高利貸しの代名詞がトイチ（10日間で1割）で、これは年利3000%に相当しますから、ほぼそれに匹敵する暴利です。逆にいえば、高利での借入に慣れたひとが納得できる絶妙な値付けになっているのでしょう（彼らはクレジットカードの一括払いではなくリボ払いや分割払いを使うでしょうから、実質借入金利はさらに高くなります）。

なにかをガマンするのではなく、いますぐ欲望を満たしたいひとを、経済学では「時間割引率が高い」といいます。逆に「時間割引率が低い」ひとは、いまの欲望をガマンして将来のために貯蓄します。時間割引率が高いか低いかは、遺伝的な影響が大きいことがわかっています。

4歳の子どもが、マシュマロをいますぐ食べるか、ガマンできるかを調べたアメリカの有名な実験があります。15分間ガマンすればマシュマロがもうひとつ手に入るのですが、それができた子どもは全体の3分の1しかいませんでした。実験に参加した子どもたちを追跡調査すると、マシュマロをガマンした子どもはSAT(大学進学適性試験)の成績が高く、社会的にも成功していることがわかりました。現代社会(知識社会)では、時間割引率が低いのは有利で、高いのは不利なのです。

フリマサービスの奇妙な取引は、わたしたちの社会には、子どもの頃にマシュマロをすぐに食べてしまったひとが思いのほかたくさんいることを示しているようです。

参考文献:ウォルター・ミシェル『マシュマロ・テスト——成功する子・しない子』ハヤカワ文庫NF

日本人の女の子はモテるけど、男の子はモテない?

ビッグデータはときに不都合な事実を突きつけることがあります。

アメリカの出会い系サイト『Okキューピッド』には年間1000万人が出会いを求めて集まってきて、1日3万組がはじめてのデートをし、3000組がつき合いを継続させ、200組が結婚します。そんな彼らが提供した膨大なデータを(プライバシーに配慮したうえで）解析すると、男と女の難しい関係が明らかになります。

　女性にとって魅力的な男性の年齢は、20代のときは自分よりすこし年上で、30代からはすこし年下になりますが、50歳の女性の好みは46歳の男性でその差はわずかです。女性は、自分と同じような経験をしてきたパートナーを求めているのです。

　それに対して男性にとっての魅力的な女性はというと、（予想はつくものの）結果はかなり衝撃的です。

　20歳の男性は、20歳の女性とつき合いたいと思っています。そして30歳の男性も好みは20歳の女性、40歳の男性は21歳の女性、50歳の男性も求めているのは22歳の女性です。男性は、女性に「若さ」以外の価値はないと思っているかのようです。

　もちろんこれはただの願望で、この世にハーレムがないことくらい男性にもわかっています。

　そこで男性会員が実際にメッセージを送った女性の平均年齢を見ると、30歳の男性は25歳の女性に、40歳の男性は30歳の女性に、50歳の男性は40歳の女性にアプローチしています。実際に行動するときはすこし理性的になるようですが、それでも10歳若い女性でないと満足できないのです。魅力的な年齢が男女で大きく異なることが、出会いを難しくしています。

　アメリカ社会の大きな困難である人種についてもデータは正直です。

男性がどの人種の女性を好むかを見ると、アジア系、ラテン系、白人の男性の多くは自分と同じ人種の女性とつき合いたいと思っています。特徴的なのは黒人男性で、アジア系やラテン系の女性よりも黒人女性を低く評価しているのです。

一方、女性がどの人種の男性を好むかを調べると、黒人の女性は黒人の男性とつき合いたいと思っています。この結果は、アメリカにおける黒人女性の苦境を示しています。彼女たちは黒人のカレシを探していますが、黒人の男性は別の人種の女性に興味を持っています。さらに人種別の魅力度では、アジア系、ラテン系、白人の男性にとって、黒人女性の魅力は平均を25%も下回っています。黒人の女性が満足のいくパートナーを見つけるのはものすごく大変なのです。

しかしこれは、日本人をはじめアジア系男性にとっても他人事（ひとごと）ではありません。アジア系の女性は、自分と同じ人種よりも白人男性とつき合いたいと思っているからです。ビッグデータが明らかにしたのは、アジア系の女性はすべての人種から満遍なく好かれるものの、アジア系の男性は好感度が低く、黒人、ラテン系、白人の女性からは相手にされないというきびしい現実です。アメリカのような多民族社会では、日本人の女の子はモテるけれど、男の子はそうでもない、ということのようです。

参考文献：クリスチャン・ラダー『ハーバード数学科のデータサイエンティストが明かす ビ

ッグデータの残酷な現実』ダイヤモンド社

子どもがいるひとは、いないひとより3・6倍もその決断を後悔している

数年前、グーグル検索で「夫」と入力すると「死んでほしい」という候補が最初に表われることが話題になりました。その後、夫への恨みつらみをえんえんと書きつらねる『だんなDEATH NOTE』なるサイトが登場し、結婚生活に不満（というか憎悪）を抱く妻が世の中にあふれていることが明らかになりました。検索頻度の高い言葉を自動表示するサジェスト機能はひとびとの本音を示していたのです。

だとしたら、検索を調べることで社会の深層に隠されているものが見えてくるのではないでしょうか。じつは、ビッグデータを使ってそれを調べている研究者がアメリカにいます。

このデータサイエンティストによると、英語で「……したいと思うことは正常？」と検索したときのトップ表示は「人を殺したいと思うことは」で、「……を殺したいと思うことは正常？」のトップは「家族を」です。『DEATH NOTE』は日本だけの特殊な現象ではないようです。

それ以外でも、検索データは興味深い事実をいろいろ教えてくれます。

アメリカでは、奴隷制度の負の遺産によっていまも南部で人種差別が行なわれているとされています。しかしビッグデータは、人種差別的なジョークを検索するひとが南部よりも東部に多いことを明らかにしました。しかもそれは、大統領選でトランプが「予想外の勝利」を収めた地区と重なっています。アメリカは南北ではなく東西で分断されているのです。

都市のエリートビジネスマンはストレスに苦しみ、田舎暮らしはのんびりしていると思われています。ところが、「不安　助けて」などと検索しているひとは農村人口比率が高い地域に住み、教育程度が低く、収入の中央値が低いことがわかりました。

「彼氏・彼女と共通の友人を持つことは関係が長つづきしないことの強力な予兆になる」とのデータもあります。パートナーとうまくやっていくなら、少人数の同じ仲間とつるむのではなく、それぞれが別の社交集団を持つ方がよいようです。

子どもを持てなかったことを後悔するひとがいますが、子どもがいるひとは、いないひとより3・6倍もその決断を後悔しています。「私の夫は浮気しているか？」よりも、「私の夫はゲイか？」と検索するひとがたくさんいます。セックスをしてくれないパートナーへの文句は「会話に応じてくれない」という文句より16倍も多く、「彼女がセックスに応じてくれない」という文句より、「彼氏が応じてくれない」という文句の方が

2倍も多いこともわかりました。アメリカでも男性のセックスレスは深刻なようです。

その一方で、元気が出るメッセージもあります。

受験や就職に失敗して絶望するひともいるでしょうが、有名校にわずかの差で落ちたひとと合格したひとのその後の人生を大規模比較したところ、高校受験でうまくいかなかった生徒も一流大学に進学し、大学受験に失敗しても同じような一流企業に就職していることがわかりました。

1点差で合格・不合格が決まるのは運で、能力にちがいがあるわけではありません。ビッグデータは、不運は人生に決定的な影響を及ぼすわけではなく、失敗は取り返せることを教えてくれるのです。

参考文献：セス・スティーヴンズ＝ダヴィドウィッツ『誰もが嘘をついている』光文社

Part 3

「日本人」しか
誇るもののない
ひとたち

徴用工判決で、なぜ韓国の民意を無視するのか

２０１８年10月、韓国の大法院（最高裁）が元徴用工の日本企業に対する賠償請求を認める判決を出したことで、またもや日韓関係が揺らいでいます。１９６５年の請求権協定で「（強制動員の被害補償は）完全かつ最終的に解決済み」というのが日本政府の立場で、河野太郎外相が「両国関係の法的基盤が根本から損なわれた」と批判するのも当然でしょう。

国際政治では長らく、リアルポリティクス（現実主義）とリベラル原理主義が対立してきました。典型は核兵器問題で、リアルポリティクスの論者（大半の国際政治学者）はゲーム理論に基づき、米ソいずれも相手を確実に破滅させられる核兵器を保有する「相互確証破壊」こそが平和を維持しているとして、中途半端な軍縮交渉を批判してきました。それに対してリベラル原理主義は、こうした賢しらな論理を嫌悪し、核兵器は「絶対悪」なのだからどんなことをしてでも全廃しなければならない、と主張します。

こうした対立は、日本では沖縄問題で顕著です。

リアルポリティクス派は、「沖縄に負担が集中しているのは事実だが、中国・北朝鮮の軍事的脅威や日米安保を考えれば、住宅街にあって危険な普天間基地を辺野古に移設する以外の選択肢はない」という立場でしょう。それに対してリベラル原理主義派は、「沖縄のひとたちが〝基地はいらない〟といっている以上、普天間も辺野古も認めない」と主張します。リアルポリティクス派にとって、民意はものごとを決めるひとつの要素にすぎないのに対し、リベラル原理主義派では、「民主主義では民意こそがすべて」なのです。

私個人は、この世界が完璧なものでない以上、利害の対立するやっかいな問題はリアルポリティクスで対処するほかないと考えますが、そうはいっても「理想」になんの価値もないと切り捨てることもできません。そんな軟弱な人間から見ても、韓国批判一色に染まる日本国内の反応は異様です。

韓国のメディアのなかには日韓関係の悪化を危惧する声もあるようですが、各紙とも一面トップで大法院の判決を歓迎しています。韓国国民の大多数が、今回の判決を支持していることもまちがいないでしょう。すなわち、韓国の民意は「元徴用工に賠償すべきだ」ということで一致しています。

それに対してリアルポリティクス派は、「沖縄の民意と同様に、韓国の民意も考慮する必要はない」と一貫した主張ができます。しかし日本では、「国家と個人が対立したら個人の側に立つべきだ」とするリベラル派まで、元徴用工に寄り添った判決を否定し、韓国の民意を「国民情緒法」などと揶揄しているのです。大法院の判決で日韓関係が揺らぐのが問題なら、辺野古への移転に反対して日米関係を危機にさらすことも同じように問題でしょう。

私の疑問は、「沖縄（日本人）の民意は大切で、韓国（外国人）の民意はどうでもいい」というのは、外国人差別ではないか、というものです。それとも、沖縄の民意は正しく、韓国の民意はまちがっているという決定的な理由があるのでしょうか。どなたか、私の誤解を解いていただければ幸いです。

【後記】

この記事についてはツイッターで多くのコメントをいただきましたが、その大半は「なぜ韓国はまちがっているのか」という指摘（というか罵詈雑言）で、私の疑問（日本人の民意と韓国人の民意をなぜ差別するのか？）にこたえるものは数えるほどしかありませんでした。これは、Ｐａｒｔ５で述べる「日本人のおよそ3分の1は日本語を読めない」ことのよい証拠（エビデンス）になっています。

「日本人」と「韓国人」のやっかいなアイデンティティ

２０２１年9月末の任期を見据え、安倍首相はふたつの「レガシー」を目指しています。憲法改正と北方領土交渉で、いずれかひとつでも実現すれば日本の現代史に名を残すのはまちがいありませんが、どちらも状況はかんばしくありません。

それでも「モリカケ」で足を引っ張られた憲法改正より目がありそうだと、「うまの合う」プーチン大統領との会談を繰り返していますが、クリミア半島併合などでナショナリズムが沸騰するロシアがやすやすと領土の割譲に応じるとは思えません。案の定、ラブロフ外相は日本に対し、「第二次世界大戦の結果を認めよ」といいたい放題です。

戦争末期、ソ連は日ソ中立条約を一方的に破棄して満州と南樺太（みなみからふと）に侵攻し、日本軍の捕虜約57万５０００人を抑留、劣悪な環境で約5万８０００人が死亡する悲劇を引き起こしましたが、いまだに謝罪も賠償もしていません。そのうえ「悪いのはぜんぶお前たちだ」という暴言ですから、「愛国者」は激怒してもおかしくありませんが、不思議なことに大きなニュースになることもなく、ほとんどだれも気にも留めていないようです。

さらに奇妙なのは、その「愛国者」が、海上自衛隊の哨戒機（しょうかいき）が韓国海軍の駆逐艦から火器管制レーダーを照射されたとして大騒ぎしていることです。これもたしかに隣国とのやっかいな問題ですが、別の隣国が不法に占拠した領土を返還する気がないと公言したことと、どちらが重大でしょうか。

こうした事情は、じつは韓国も同じです。

2017年、在韓米軍へのTHAAD(サード)(地上配備型高高度ミサイル迎撃システム)配備を決めた韓国に中国が激怒し、軍用地を提供したロッテは中国国内の店舗の一部を一時営業停止に追い込まれ、中国の旅行業者は韓国観光の取り扱いをやめました。ところが、こんな嫌がらせをされたにもかかわらず韓国内で「反中国」の大規模デモが起きるようなことはなく、「逆らったってしょうがない」というあきらめムードが広がりました。

その影響を比較すれば、北方領土返還や中国からの執拗(しつよう)な制裁に比べ、日本の哨戒機にレーダーを当てたとか当てないとかはどうでもいい話です。当事者同士で話し合って、「これから気をつけよう」で済ませればいいだけのことではないでしょうか。

しかし、日本にも韓国にもこれを「ささいな出来事」にできない事情があります。

日本では「嫌韓本」が次々とベストセラーになったことからもわかるように、「韓国ぎらい」が「日本人のアイデンティティ」と結びついています。慰安婦や徴用工問題でさんざん「理不尽」なことをされた「日本人」にとって、レーダー照射問題は溜飲(りゅういん)を下げる格好の機会なのです。

韓国では、植民地時代を全否定することが「正義」とされており、どんなことであれ日本に頭を下げることは「民主韓国」の否定だと見なされます。韓国側の反論が二転三転しつつもぜったいに非を認めないのはこれが理由でしょう。

日本と韓国は合わせ鏡のような関係で、お互いを否定し合うことで「日本人」「韓国人」のアイデンティティがつくられています。この不幸な状況はとうぶん変わりそうもないので、お互い、それに慣れるしかないのでしょう。

日本の政治家・官僚の国際感覚は大丈夫なのか

福島第一原発事故の被災地などからの水産物を韓国が全面禁輸していることについて、2019年4月、WTO（世界貿易機関）上級委員会が日本の逆転敗訴の判決を出しました。韓国に是正を求めた第一審は破棄され、輸入規制の継続が認められたことになります。

この報道を見て、調査捕鯨の是非をめぐってオーストラリアがICJ（国際司法裁判所）に日本を提訴した裁判を思い出したひとも多いでしょう。「科学的根拠」を盾に日本側は強気で、首相官邸にも楽観的な予想が伝えられていたにもかかわらず、ふたを開けてみれば全面敗訴ともいうべき屈辱的な判決だったため、安倍首相が外務省の担当官をきびしく叱責したと報じられました。今回のＷＴＯ上級委員会の審査でも、日本側は第一審の勝訴で安心しきっており、予想外の結果に大きな衝撃を受けたようです。

このふたつの失態でだれもが最初に考えるのは、「日本の官僚は大丈夫か？」でしょう。韓国は一審で敗訴したあと、通商の専門家を含む各省庁横断的な紛争対応チームを設置しており、「こうした韓国政府の努力が反映された結果だ」とコメントしています。だとしたら日本政府は、「被災地の復興支援」のためにどんな努力をしたのでしょうか。

厚労省の「統計不正」問題で暴露されたように、専門性に関係なく新卒を採用し、さまざまな部署を異動させてゼネラリストを養成するという官庁の人事システムは完全に世界の潮流から取り残されています。

法学部や経済学部卒の「学士」の官僚が国際会議に出ると、そこにいるのは欧米の一流大学で博士号を取得したその分野のスペシャリストばかりです。これでは、アマチュアのスポーツチームがプロを相手に試合するようなもので、最初から勝負は決まっています。

もうひとつの懸念は、日本の政治家・官僚の感覚が国際社会の価値観から大きくくずれているのではないかということです。

欧米では狩猟はかつて「紳士のスポーツ」として人気でしたが、いまでは「アフリカに象を撃ちに行く」などといおうものなら、殺人犯のような（あるいはそれ以上の）白い目で見られます。「科学的根拠」があろうがなかろうが、大型動物を殺すことはもはや許容されなくなりました。調査捕鯨を容認する判決を出したときの国際社会からの強烈なバッシングを考えれば、ＩＣＪの判断は最初から決まっていたと考えるべきでしょう。

原発被災地の水産物については、日本が生産者の立場、韓国が消費者の立場で互いの主張をたたかわせました。ＷＴＯは日本の食品の安全性を認めたとされますが、それでも韓国の禁輸を容認したのは、政府には国民＝消費者の不安に対処する裁量権があるとしたためでしょう。いわば「消費者主権」の考え方で、これも世界の趨勢です。

ふたつの判決は、国際社会の価値観の変化を前提とすれば、じゅうぶん予想されたものでした。だとしたら問題は、そのことにまったく気づかず、唯我独尊のような態度で裁判に臨んだ側にあります。

元徴用工らの訴えに対する韓国大法院の判決に対し、与党内にはＩＣＪに訴えるべきだとの強硬論もあるといいます。裁判で決着をつけるのは自由ですが、ますますリベラル化する国際世論を考えれば、けっして楽観できないことを肝に銘じるべきでしょう。

【後記】

２０１９年４月23日、朝日新聞は「政府説明、ＷＴＯ判断と乖離」として、日本政府が根拠にしている「日本産食品の科学的安全性が認められた」との記載がWTO第一審の判決文にあたる報告書に存在しないことを報じました。国際法の専門家などからの批判を受け、外務省と農水省の担当者は「『日本産食品が国際機関より厳しい基準で出荷されている』との認定をわかりやすく言い換えた」と釈明、外務省経済局長は自民党の会合で政府の公式見解を一部修正したとのことです。ますます、「日本の官僚、大丈夫か？」という気がしてきます。

靖国神社の宮司が「反天皇」になった理由

2018年10月、靖国神社の宮司が天皇を批判するという前代未聞の出来事が発覚し、保守派のあいだに激震が走りました。

報道によれば宮司は、「どこを慰霊の旅で訪れようが、そこに御霊（みたま）はないだろう？」と今上天皇（現上皇）の慰霊の旅を否定し、「はっきり言えば、今上陛下は靖国神社を潰そうとしてるんだよ。わかるか？」と述べています。それに加えて、「もし、御在位中に（今上天皇が）一度も親拝なさらなかったら、今の皇太子さんが新帝に就かれて参拝されるか？　新しく皇后になる彼女は神社神道大嫌いだよ。来るか？」と語ったようです。

この発言が報じられて宮司は退任しましたが、これだけではとうてい収まりそうもありません。靖国神社は明治維新以来の英霊を祀るために、天皇を祭司として建立されました。その天皇を宮司が否定するならば、神社として存続する根本的な理由を問われます。

暴言の背景には、A級戦犯合祀以来、天皇が靖国を親拝していないことがあります。保守派は諸外国の批判に配慮する「君側の奸」を攻撃してきましたが、元宮内庁長官のメモによって、「だから、私はあれ（A級戦犯合祀）以来参拝していない。それが私の心だ」という昭和天皇の発言が明らかになりました。

靖国神社は祭司である昭和天皇にいっさい相談せず、独断でA級戦犯を合祀しています。昭和天皇はそれに納得せず、今上天皇もその意を汲んで、在位中にいちども靖国を訪れていない。このままでは皇太子も同じで、「天皇の社」である靖国神社は潰れてしまうのではないかという危機感が宮司の暴言になったのでしょう。

今上天皇が朝鮮半島にゆかりのある神社を訪問したとき、ネットでは天皇を「反日左翼」とする批判が現われました。従来の右翼の常識ではとうてい考えられない奇妙奇天烈な現象ですが、ネトウヨの論理では、天皇であっても「朝鮮とかかわる者はすべて反日」なのです。

これと同様に、靖国神社の宮司の論理では、英霊に親拝しない天皇は「反靖国」であり、「反日」だということなのでしょう。宮司が会議でこれを堂々と発言し、それに対してなんの反論もなかったということは、神社内部でこうした議論が日常的に行なわれていたと考えるほかありません。驚くべきことに、保守派がもっとも大切にする靖国神社はネトウヨの同類に乗っ取られていたのです。

天皇が靖国に来られない原因をつくったのが自分たちなら、なにをいっても振り上げた拳は自分のところに戻ってくるだけです。A級戦犯合祀が問題の本質である以上、分祀以外に天皇親拝を実現する方法はないでしょうが、それを自分からいうことはできません。昭和天皇の許しを得ずに合祀したことについて、これまで陰に陽に批判されてきており、それに耐えきれず「なにもかも天皇が悪い」と〝逆ギレ〟したと考えれば、今回の異様な出来事も理解できます。

靖国神社が「反天皇」であることが白日の下にさらされて、まっとうな右翼/保守派は自らの態度を示すことが求められています。いまのところ、重い沈黙が支配しているだけのようですが。

靖国神社は戦没者の御霊を「独占」できるのか

靖国神社の宮司が天皇（現上皇）を批判して退任するという前代未聞の出来事は、靖国神社がネトウヨの同類に乗っ取られたかのような衝撃を与えました。その後、当の宮司の手記が月刊『文藝春秋』に掲載され、実態がすこしわかってきました。

前宮司によると、靖国神社は不動産や駐車場の賃貸収入、資産運用の利益などもあって財政的に恵まれており、職員のほとんどは学校を出てから定年まで勤める公務員のような身分です。そのうえ単立宗教法人であるため神社本庁には人事権や指導権がなく、自分たちの好きなように処遇を決めることができます。

日々を大過なく過ごすことしか考えていない靖国神社の職員たちにとって、天皇の親拝問題は、自分たちでどうにかできるわけではないので考えても仕方ありません。「改革」を叫ぶ新任の宮司はうるさいだけの存在で、内部の研究会での暴言を録音してマスコミに流すことでやっかいばらいした、ということのようです。

前宮司も、神職たちに「ぼしんせんそう（戊辰戦争）」を漢字で書かせるような知識問題をやらせたといいますから、恨みを買っていたのはたしかでしょう（驚いたことに、幹部クラスでも低い点数の者がいたそうです）。靖国神社は日本の伝統を「保守」しているのではなく、たんなる「生活保守」だったのです。

前宮司は研究会で、「どこを慰霊の旅で訪れようが、そこに御霊はないだろう？ 遺骨はあっても」と述べて、今上天皇の慰霊の旅を全否定したわけですが、なぜこのような発言をしたかの真意も手記で述べられています。

わたしたちは漠然と、魂は超自然的な存在で、自分の墓だけでなく、生命を失った場所にも、遺族のところにも、思い出の場所にもいるはずだと思っています。しかし元宮司は、こうした時空を超えた魂の遍在を否定し、正しい神道では戦死者の御霊は靖国神社にしかいないといいます。戦場に残されたのはたんなる「遺骨」でしかなく、だからこそ、そんな場所で「鎮魂」してもなんの意味もないのです。

これはきわめて偏狭な考え方ですが、靖国神社には戦死者の御霊を「独占」しなければならない事情があります。御霊がどこでも望む場所に行けるなら、千鳥ヶ淵戦没者墓苑にもいるはずだからです。そうなれば皇族も政治家も、参拝のたびに「歴史問題」が騒がしい靖国ではなく、どこからも批判の出ない千鳥ヶ淵でこころおきなく戦没者の霊を鎮めればよいことになってしまうのです。この危機感が、「今上陛下は靖国神社を潰そうとしてるんだよ」との暴言につながったのでしょう。

靖国神社を守るためには、靖国が御霊を独占しなければなりません。ところがそうすると、今上天皇の生涯をかけた慰霊の旅が、御霊のない場所を訪れるだけの「観光旅行」になってしまいます。これは保守派にとって深刻な矛盾であり、このことを率直に述べただけでも前宮司の手記には大きな意味があります。

保守論壇はあれだけリベラルのダブルスタンダードを叩いたのですから、「御霊は靖国神社にしかいないが、天皇は鎮魂の旅をしている」という自らのダブルスタンダードにも真摯に向き合うべきでしょう。

参考文献：『小堀邦夫前宮司〈独占手記〉「今上陛下は靖国を潰そうとしている」発言の真意「靖国神社は危機にある」』『文藝春秋』２０１８年12月号

天皇の〝人権〟より伝統を優先する保守主義者

２０１６年7月に当時の今上天皇（現上皇）が生前退位を希望していることが明らかになり、政府は一代限りの特別措置法の検討をはじめましたが、この出来事は同時に、日本における「保守主義」の本質をくっきりと描き出しました。

世論調査では9割以上の国民が退位に賛成したように、天皇が「お気持ち」を表明した以上、それを尊重するのは当然というのが圧倒的多数派であるのはまちがいありません。それに真っ向から反対し、「天皇は退位できない」と主張するのが保守主義者です。

そもそも天皇というのは「身分」ですから、身分制を廃した憲法の理念に反しますし、天皇・皇族には職業選択の自由もありません。かつてのリベラル派は天皇制を戦争責任で批判しましたが、最近は「天皇は国家によって基本的人権を奪われている」との論調に変わってきています。これはたしかにそのとおりですが、ヨーロッパの民主国家にも立憲君主制の国はあり、「人権侵害」だけで天皇制を否定するのは説得力がありません。

とはいえ、オランダの王室では3代つづけて国王が自らの意思で退位したように、「自己決定権」の原則は皇室にも及ぶことが当然とされています。イギリスのエドワード8世は離婚歴のある平民のアメリカ人女性と結婚するために1年に満たない在任期間で王位を放棄しましたが、これは「王室から離脱する権利」です。王の条件は「身分」でもそれを選択するのは本人の自由、というのが「リベラルな王室」の価値観で、「やりたくない」というのを無理にやらせるのでは、天皇制廃止論者が主張する「天皇は〝現代の奴隷〟」を認めることになってしまいます。

しかし保守主義者は、この論理を受け入れることができません。じつは彼らの主張にも一理あって、ヨーロッパには王族のネットワークがあり、跡継ぎを他国の王室から迎えることもできますが（よく知られているようにイギリス王室のハノーヴァー家はドイツの王族です）、日本の皇室ではこのようなことができるはずもありません。海外を見れば王統の断絶はいくらでもあるのですから、「万世一系」は風前のともしびというのが保守主義者に共通の危機感なのです。

保守派の論客のうち、八木秀次（やぎひでつぐ）氏は「日本の国柄の根幹をなす天皇制度の終わりの始まりになってしまう」と退位を明確に否定し、桜井よしこ氏は「（高齢で公務がつらくなったのは）何とかして差し上げるべきだが、国家の基本は何百年先のことまで考えて作らなければならない」と述べます。さらに日本会議代表委員で外交評論家の加瀬英明氏は、「畏れ多くも、陛下はご存在自体が尊いというお役目を理解されていないのではないか」とまで述べています。

これらの発言からわかるのは、保守主義者にとって重要なのは天皇制という伝統（国体）であって天皇個人ではない、ということです。これは批判ではなく、保守主義では伝統は人権に優先するのですから、当たり前の話です。

しかしこうした古色蒼然の政治的立場は、もはやひとびとの共感を集めることはないでしょう。戦後の日本社会は、天皇の〝人権〟を常識として認めるところまで成熟したのです。

「保守のジャンヌ・ダルク」はどこで地雷を踏んだのか

自民党に所属する保守派の女性議員が2018年7月に発売された月刊誌への寄稿で、「LGBT（レズビアン、ゲイ、バイセクシャル、トランスジェンダー）」に対し、「彼ら彼女らは子供を作らない、つまり『生産性』がないのです」と述べたことがはげしい批判にさらされました。

これまでも何回か、「世界の価値観はリベラル化しており、日本も半周遅れで追随している」と書きました。しかし今回の事件は、日本の「右傾化」を象徴しているのではないでしょうか。

その後の展開を見るかぎり、じつはそうともいえません。「中国」や「韓国」「リベラル」には過剰なくらいの批判（しばしば罵詈雑言）をしている右派論壇のひとたちは、この件については奇妙なことにみな沈黙を守っています。私が目にした唯一の「擁護」は「新しい歴史教科書をつくる会」創設メンバーの一人である藤岡信勝氏によるもので、「『生産性』という言葉は（中略）引用符が施されており、（中略）誤読に基づく冤罪というべきものだ」でした。慰安婦問題などでこの女性政治家を「保守のジャンヌ・ダルク」と持ち上げていたひとたちは、いったいどこにいってしまったのでしょう。

自民党内にも彼女の主張を擁護する声はほとんどなく、総裁選で安倍首相のライバルだった石破茂（いしばしげる）氏や野田聖子氏ははっきり批判していましたし、「人それぞれ政治的立場、いろんな人生観もある」と庇（かば）った二階俊博幹事長も、同じ会見で「多様性を受け入れる社会の実現を図ることが大事」と述べました。それぞれニュアンスの差はありますが、保守派議員のなかでも四面楚歌（しめんそか）になっていたことはまちがいありません。

この女性政治家は母子家庭や生活保護を「自己責任」と批判してもいましたが、驚いたことにこの問題ではいっさいの説明を拒絶しました。自らの意見を開陳するのは思想・表現の自由でしょうが、国会議員は多額の税金を受領しているのですから、一般人はもちろん言論人と比べても重い説明責任を負っています。それを放棄するのでは、「弱い者には厳しく自分に甘い」といわれてもしかたないでしょう。

私の考えでは、世界は「リベラル化」と同時に「アイデンティティ化」しており、日本ではそれが「日本人」という脆弱なアイデンティティを守ろうとするかたちで表われます。これが「日本」を攻撃する（と思われている）者たちへの強い反発（嫌韓・反中、朝日ぎらい）になるのですが、逆にいえば「日本」に関係ないことはリベラルでかまわないのです。

「ネトウヨ」と呼ばれるひとたちは、「反日」だけでなく、「フェミニズム」「夫婦別姓」「LGBT」はたまた「ベビーカー」までさまざまな〝弱者利権〟を攻撃しますが、じつはこうしたテーマはリベラル化が進むなかで大衆的な支持を得ることができなくなっています。「すべてのひとが平等に、持って生まれた可能性を最大化できる社会を目指すべきだ」という意味でのリベラルを否定し、前近代的な日本の「伝統」を称揚する態度は右派論壇や保守派の政治家のなかでもどんどん減っています。

ところが件（くだん）の女性政治家は、「ネトウヨ」的な主張をすればするほど「ジャンヌ・ダルク」ともてはやされると思ったのでしょう。この勘違いで地雷を踏み、バッシングするつもりがバッシングの標的になってしまったのです。

「ヘイト」の烙印を押されたら休刊の理由

「LGBTは『生産性』がない」と主張する保守派の女性国会議員が寄稿した月刊誌が休刊しました。批判に対して「そんなにおかしいか」という特集を組んだところ、同性愛（自由恋愛）と痴漢（犯罪）を同一視するかのような記事が掲載され、火に油を注ぐ大騒ぎになったのです。

なぜこんなことが起きるのか。それはリバタニアとドメスティックスの関係を見誤っているからです。

オバマ大統領の2期目の大統領就任式では人気歌手のビヨンセがアメリカ国歌を歌いましたが、トランプ大統領の就任式では、得意のネゴシエーション力にもかかわらずすべての有名歌手が出演を断ったようです。それ以前に、ザ・ローリング・ストーンズ、エアロスミス、アデルなどのミュージシャンがトランプの集会で自分たちの曲を使わないよう求めています。

これは政治的イデオロギーの問題というよりも、彼ら／彼女たちがアメリカだけでなく世界じゅうにファンを持つグローバルなスターだからです。

アメリカ国民3億人のうち、2億人が保守派（ドメスティックス）だとしましょう。リベラルは1億人ですから、選挙では常に保守派が優位に立ちます。だったら、政治家と同様に人気商売の芸能人もみんな保守派に鞍替(くらが)えすべきではないでしょうか。

そんなことにならないのは、ちょっと考えればわかります。スーパースターは70億人を超えるグローバルマーケットを相手にしており、わずか2億人のアメリカの保守派の機嫌をとるために、世界じゅうのファンを失うリスクを冒すはずがないのです。

人種や性別、性的指向などで差別してはならないというリベラルの理念は、グローバル世界のもっとも大切な約束事です。多様なひとたちが集まる場で、お互いの善悪や優劣を争えば殺し合いになるほかありません。

これを「リバタニア」と呼ぶならば、世界的な有名人やグローバル企業はすべて（仮想の）リベラル共和国の住人です。ハリウッドがどんどんリベラルになり、グーグルやフェイスブックがあらゆる差別に反対するのは、リバタニアから排除されれば事業が成り立たないからです。

それに対して日本のメディアは、「日本語」という非関税障壁に守られてきたため、これまでリバタニアの巨大な圧力を軽視してきました。しかしいままでは小説・アニメ・音楽・映画などのクリエイターのなかには、日本以上にアジア（中国・韓国・台湾）で人気があるひとがたくさんいて、彼ら／彼女たちは「反中」「嫌韓」のレッテルを貼られることをものすごく嫌うでしょう。海外の高名な作家たち（ほとんどがリベラル）も、高名な文学賞の候補になり世界じゅうにファンのいる日本の人気作家も、「同性愛者を差別している」と批判される出版社から作品を出そうとは思わないでしょう。

このように考えれば、「ヘイト」の烙印を押された雑誌を休刊するほかない事情がわかります。へたに言い訳や反論をすれば、ますます炎上して信用が失墜していくだけです。

グローバル化の進展にともなってリバタニアの圧力はさらに強まっており、この事件をきっかけに、日本でも大手メディアのリベラル化がさらに進むでしょう。こうして、取り残されたドメスティックスとのあいだで社会の分断が進んでいくのです。

沖縄県知事の死を冒瀆するひとたちの論理

２０１８年８月、沖縄県の翁長雄志（おながたけし）知事（当時）が闘病の末に亡くなりました。がんを明らかにしてから、ネットには容姿や病状についての読むに堪えないコメントがあふれ、訃報のニュースは一時、罵詈雑言で埋め尽くされました（その後、削除されたようです）。

こうしたヘイトコメントを書くのは「ネトウヨ」と呼ばれている一群のひとたちです。

彼らは常日頃、「日本がいちばん素晴らしい」とか「日本人の美徳・道徳を守れ」とか主張していますが、死者を罵倒するのが美徳なら、そんな国を「美しい」と胸を張っていえるはずがありません。まっとうな保守・伝統主義者は、「こんなのといっしょにされたくない」と困惑するでしょう。

ネトウヨサイトについては、最近は「ビジネスだから」と説明されるようです。しかし、これでも話はまったく変わりません。ヘイトコメントを載せるのはアクセスが稼げるからで、それを読みたい膨大な層がいることを示しています。

自分が白人であるということ以外に「誇るもの」のないひとたちが「白人アイデンティティ主義者」です。彼らがトランプ支持の中核で、どんなスキャンダルでも支持率が40％を下回ることはありません。同様に、安倍政権の熱心な支持者のなかに、日本人であるという以外に「誇るもの」のない「日本人アイデンティティ主義者」すなわちネトウヨがいます。

彼らの特徴は、「愛国」と「反日」の善悪二元論です。「愛国者」は光と徳、「反日・売国」は闇と悪を象徴し、善が悪を討伐することで世界（日本）は救済されます。古代ギリシアの叙事詩からハリウッド映画まで、人類は延々と「善と悪の対決」という陳腐な物語を紡いできました。なぜなら、それが世界を理解するもっともかんたんな方法だから。

ネトウヨに特徴的な「在日認定」という奇妙な行為も、ここから説明できます。自分たち＝日本人と意見が異なるなら「日本人でない者」にちがいありません。事実かどうかに関係なく、彼らを「在日」に分類して悪のレッテルを貼れば善悪二元論の世界観は揺らぎません。

今上天皇（現上皇）が朝鮮半島にゆかりのある神社を訪問したとき、ネットでは天皇を「反日左翼」とする批判が現われました。従来の右翼の常識ではとうてい考えられませんが、この奇妙奇天烈な現象も「朝鮮とかかわる者はすべて反日」なら理解できます。

ところが「沖縄」に対しては、こうした都合のいいレッテル貼りが使えません。「在日」に向かっては「朝鮮半島に叩き出せ」と気勢を上げることができますが、基地に反対する沖縄のひとたちを「日本から出ていけ」と批判すると、琉球（りゅうきゅう）独立を認めることになってしまうからです。

こうして沖縄を批判するネトウヨは、「反日なのに日本人でなければならない」という矛盾に直面することになります。これはきわめて不愉快な状況なので、なんとかして認知的不協和を解消しなければなりません。「翁長知事は中国の傀儡（かいらい）」とか「反対派はみんな本土の活動家」などの陰謀論が跋扈（ばっこ）するのはこれが理由でしょう。——都合のいいことに、探せば本土から来た市民活動家は見つかります。

ネトウヨは、「日本人」というたったひとつしかないアイデンティティが揺らぐ不安に耐えることができません。「絶対的な正義」という幻想（ウソ）にしがみついているからこそ、平然と死者を冒瀆（ぼうとく）してまったく意に介さないのです。

日本が核武装すれば沖縄問題は解決する?

2019年2月に沖縄・辺野古の米軍基地建設への賛否を問う県民投票が行なわれ、「反対」71・7%の「民意」が示されました。

この問題の背景には、米軍基地が「迷惑施設」になったという現実があります。日本は敗戦で連合軍（米軍）の統治下に入り、1952年のサンフランシスコ講和条約で占領が終わりますが、沖縄はそれから20年間、アメリカの「植民地」でした。敗戦直後の日米の「経済格差」はとてつもなく大きく、ゆたかな米軍は日本人の憧れでした。それに比べて、「日本を破滅に追いやった」旧軍の後継である自衛隊への視線はきわめて冷たく、災害救援でも自衛隊の活動はいっさい報じないのがマスコミの常識でした。

それが変わってきたのは高度経済成長の時代で、円高で米軍基地が地元経済に貢献しなくなり、いつの間にか米兵は「迷惑なひとたち」になりました。大きな転換点は19

95年で、阪神・淡路大震災（1月）での献身的な救援活動で自衛隊が大きく評価を上げる一方、沖縄では米海兵隊員らが12歳の女子小学生を拉致・集団強姦する事件が起き（9月）、米軍基地撤廃を要求する大規模な集会が開かれました。この事件をきっかけに、住宅地の真ん中にある普天間基地を移設することになり、その候補地として辺野古が選ばれたのです。

その後の複雑な経緯はとうていここでは書ききれませんが、沖縄の反基地感情はますます高まり、自民党に所属していた翁長前知事が辺野古建設反対へと態度を変えたことで決定的になりました。翁長前知事の死にともなう県知事選や県民投票でも、「迷惑施設はもう御免だ」という沖縄のひとびとの強い意思は明らかです。

これもいちいち説明する必要はないでしょうが、問題は辺野古以外の代案がないことです。鳩山由紀夫元首相が「最低でも県外」と約束した民主党政権が、迷走の挙句、けっきょく辺野古への移設を容認せざるを得なくなったことが日本政府の苦境を象徴しています。「沖縄の負担軽減のため本土移設を」と述べる論者もいますが、これはただいってみただけで、いまや原発に匹敵する「迷惑施設」となった米海兵隊基地を受け入れる自治体など見つかるはずはありません。

こうして安倍政権は辺野古の海の埋め立てを強行し、民主党時代の失態で脛に傷を持つ野党も批判は口だけで、沖縄の怒りと絶望はますます募るという悪循環にはまっています。

それでも代案を出せといわれたら、唯一実現可能性が（わずかに）あるのは、「日本から米軍に出ていってもらう」ことです。トランプ大統領は、「アメリカが負担する軍の海外駐留は認めない」と断言しているのですから、首脳会談で「思いやり予算（在日米軍駐留経費負担）はもう払えません」といえば「解決」する話です。

そうなれば日本は真に「独立」して、大量の核兵器を持つロシア、中国、北朝鮮という隣国から自力で国民・国土を守ることになります。当然、「核兵器保有」を求める大きな政治勢力が登場するでしょう。米軍の「核の傘」があるからこそ、日本の右傾化＝軍事化が抑えられてきたのです。

「沖縄に米軍基地はいらない」というリベラルは、この不愉快な現実とちゃんと向き合わなければなりません。

不倫騒動を見れば、少子高齢化の理由がよくわかる

死後20年以上を経てから大人気となった政治家・田中角栄（たなかかくえい）には、「越山会（えつざんかい）の女王」と呼ばれる愛人がいました。〝闇将軍〟の金庫番として絶大なちからをふるう彼女の存在は周知の事実でしたが、そのことが問題とされることはまったくありませんでした。後

年、正妻の娘である眞紀子氏や愛人の娘が、〝父親の不倫〟〝愛人の子ども〟という境遇にどれほど苦しんだかを告白しています。

「時代がちがう」というかもしれませんが、興味深いのは、角栄の愛人の存在が広く知られるようになった1970年代は、いまよりはるかに不倫にきびしかったことです。当時のテレビドラマには、不倫が発覚して夫の両親が嫁の家族に土下座して謝る、というような場面が出てきました。小指を立てた男性が「私はこれで会社を辞めました」と語る禁煙グッズのCMは、いまでは意味がわからないでしょう。

その後、不倫は急速に大衆化して「ありふれたもの」になっていきます。いまでは友人や同僚から不倫の相談を受けても、「大変だね」と思うか、（子どもがいないなら）「そんなの別れちゃえば」で済ませるでしょう。

「オレ、不倫してるんだ」とか、「あたし、夫がいるのに好きなひとができたの」といわれて、「そんな不道徳、許されるわけがない！」と怒りだすことはないし、もしそんな反応をすれば「おかしなひと」です。不倫は社会的な事件から個人的な出来事に変わり、他人がとやかく口出しをすることではなくなったのです。

ところが、社会が不倫に寛容になるにつれて、一部のひとに対してだけ不倫はますます道徳的に許されないものになっています。それが、芸能人と政治家です。

芸能人の不倫に対しては「相手の家族がかわいそう」と批判されますが、これはすべての不倫に共通することですから、一般人も同様に断罪されなければなりません。政治家は公人ですから「不倫をするような人物は信用できない」と批判するのは自由ですが、その人物が議員にふさわしいかどうかは次の選挙で有権者が判断することで、刑事犯でもないのに「辞職しろ」と強要するのは民主政治の否定でしょう。

芸能界も政界も閉鎖的な世界で、そこに男と女が押し込められるのですから、恋愛関係が生じないほうが不思議です。知人の国会議員は、「不倫は議員辞職ということになったら、政治家の半分はいなくなる」と真顔でいっていました。

そう考えれば、ネタになる人物の不倫だけが集中的にバッシングされているのは明らかです。標的のほとんどが女性なのは、角栄から「世界のワタナベ」まで、男の不倫は当たり前すぎて面白くないからでしょう。

不倫を批判するひとたちは、「恋愛は独身になってからやれ」といいます。自由恋愛が絶対的な価値になった現代社会で、お互いが独身なら、男同士や女同士であっても恋愛になんの制約もなくなりました。

だとすれば、一連の不倫騒動を見て賢い独身女性が考えることはひとつしかありません。

「結婚して子どもを産むとロクなことはない」

日本で少子高齢化が進む理由がよくわかります。

不倫疑惑の議員の当選を認めないひとと、選挙結果を認めないひと

２０１７年10月の総選挙が終わってから、暗い気分になる話題がつづきました。

ひとつは、不倫疑惑によって民進党を離党した女性議員の当選に対して、「無効票が1万票もあるのに８３４票差で当選したのはおかしい」として、「選挙をやり直せ」という電話が選挙管理委員会に大量にかかってきたことです。なかには2時間半も抗議するものもあったとのことで、ここまでくると常軌を逸しています。

もちろん選管は「開票は公正に行なわれ不正はあり得ない」と述べており、抗議にはなんの根拠もありません。アメリカでは「ヒラリー・クリントンがかかわる小児性愛者の巣窟」とのフェイクニュースをネットに書かれたピザ店に銃を持った男が押し入り、発砲するという事件が衝撃を与えましたが、日本の民度もアメリカと変わりません。

もうひとつは、自公の与党で3分の2を獲得した選挙結果に対して、「総理の解散権の濫用」だとして、「こんな選挙は認めない」と主張するひとたちがいたことです。「憲法で解散権を制限すべきだ」というのはこの選挙が行なわれることが決まってから出てきた話で、それ以前にこんな改憲論は聞いたことがありません。これでは「安倍政権が勝つような選挙はするな」というのと同じで、仮に野党が政権をとるようなことがあれ

ば自分に不利な〝改憲論〟はすぐに忘れることでしょう。「出口調査では安倍政権を支持しないという回答が多かった」との声もありましたが、これだと「選挙などせずに世論調査で政治を決めればいい」ということになってしまいます。

そのなかでもいちばんがっかりしたのは、〝リベラル〟な新聞が「共闘、実現していたら」として、各選挙区の野党候補の得票数を単純合算し、希望の党から共産党までが共闘していれば63選挙区で勝敗が逆転したとの試算を載せていたことです。民進党が分裂したのは共産党との共闘を頑強に拒否する保守系議員がいたからで、右から左までごちゃまぜになった異様な政治組織に有権者が同じ投票をする根拠もありませんが、そんな事実をすべてなかったことにして空想（というか妄想）をわざわざ記事にするのでは〝フェイクニュース〟といわれても仕方ありません。

「与党圧勝」という有権者の判断を当然と思うなら、女性議員を当選させた有権者の〝良識〟を認めなければなりません。政治家は公職ですから「不倫」を批判されるのは仕方ないとしても、選挙で当選したということは、政治家としての将来に期待する多くの有権者と強固な支援者がいたということです。これによって一定の責任を果たしたと私は考えますが、これを当然と思うなら「与党圧勝」の選挙結果も有権者の判断として尊重すべきでしょう。

これは子どもでもわかるかんたんな理屈ですが、不倫疑惑の議員の当選を認めないひとと、安倍政権を「独裁」と批判して「こんな選挙は認めない」というひとはこのダブルスタンダードに気づかず、自らを〝善〟、相手を〝悪〟として相変わらずはげしく罵り合っています。

彼らはじつは、ものすごくよく似ています。冷静になってみれば、鏡には自分の醜い姿が映っていることに気づくのに……。

あっ、だからこのひとたちは冷静な議論を拒絶して、いつも怒っているんですね。

日本の「自己責任」はどこがおかしいのか

2018年10月、シリアの武装組織に拘束されていたジャーナリストが解放されたことで、日本ではまた喧々囂々の「自己責任論」が噴出しました。そのほとんどは「世間に迷惑をかけたからけしからん」というものですが、この主張は世界標準（グローバルスタンダード）のリベラリズムからかけ離れています。

ジャーナリストは無鉄砲な行動で家族に迷惑をかけたかもしれませんが、「世間」がどのような負担を強いられたかは証明されていません。事件の解決にあたった外務省などの担当者が迷惑したというのかもしれませんが、市民・国民のために働くのが彼ら／彼女たちの職責で、それ以前に公務員が「世間」を代表しているわけではありません。

自己責任論者は、「権利と責任はセットだ」と主張します。これはもちろんまちがいではなく、近代的な市民社会は、「自らの行為に責任を負うことができる者だけが完全な人権を持つ」という原則によって成り立っています。だからこそ、責任能力が限定された子どもや精神病者は処罰を軽減され、その代わりに親や病院の管理下に入るなど自由を制限されるのです。

こうした権利と責任の関係を「欺瞞だ」とする意見は当然あるでしょう。しかしその場合は、この虚構（共同幻想）を否定して、どのようなルールで社会を運営していくのかを提示する説明責任を負っています。

リベラルな社会では、自己責任を前提として、「すべてのひとが持って生まれた可能性を最大限発揮できるべきだ」と考えます。「だれもが自由に生きられる」ことに反対するひとはいないでしょうが、これを徹底すると「売春で生活するのも、ドラッグを楽しむのも、安楽死で人生を終わらせるのも本人の自由な選択」ということになります。北欧やオランダのような自由主義的な社会はどんどんこういう方向に進んでおり、ジャーナリストが自らの意思で危険な地域に取材に行くことを批判するなど考えられません。

もちろん、その選択で失敗することもあるでしょう。その場合、自己責任はどうなるかというと、「本人が助けを求めているのであれば、社会は（一定の範囲で）支援する義務がある」となります。これを逆にいうと、「ドラッグの快楽を本人が求めているなら、破滅しようがどうしようが放っておけばいい」ということです。これが、ヨーロッパのリベラルな社会にわたしたちが感じる「冷たさ」の理由でしょう。

リベラルな国家がテロリストに拘束されたジャーナリストの救援に尽力するのは当然ですが、しかしここには別のルールもあって、身代金目当ての誘拐を助長しないために、金銭を支払うことは認められていません。

犯人の要求に応えることができないとなると、自国民を救出するには、特殊部隊を送り込んで奪還するしかありません。しかし日本は国外での武力行使を憲法で禁じられていますから、首相が「日本人には指一本触れさせない」と豪語しても、実際にはできることはなにもないのです。

それにもかかわらず今回は、外国政府が身代金を肩代わりしてくれたことで、自国民を救出できました。だとしたら、この僥倖を素直に喜べばいいのではないでしょうか。

アメリカへの憧れが消えて「すごいぞニッポン!」が増えた?

2017年秋、安倍首相が総選挙に踏み切り、民進党(衆院)が希望の党に吸収されて日本じゅうが大騒ぎしている頃、たまたま海外にいましたが、アメリカのニュース番組はプエルトリコを襲ったハリケーン「マリア」の話題ばかりでした。

同年9月20日に巨大台風に直撃されたカリブの島では全土が停電し、自家発電の燃料を使い果たした病院で患者が次々と死亡し、島民は動物の死骸に汚染された川の水を飲まざるを得なくなりました。首都サンファンの女性市長は涙ながらに救援の遅れを訴え、アメリカ政府と本土の市民に対して〝We are dying and you are killing us.（わたしたちは死にかけていて、あなたたちがわたしたちを殺している）〟と批判しました。プエルトリコはアメリカの自治領で、現代の先進国の出来事とはとうてい信じられません。

10月1日には観光地ラスベガスで、ミュージックフェスティバル会場の群集に向けてホテルの高層階から自動小銃が乱射され、約60人が死亡、５００人ちかくが負傷する大惨事が起きました。容疑者は64歳の退職した白人男性で、事件後の捜査で47丁もの重火器を所有していたことが判明しました。

アメリカで銃撃事件が頻発するのは、憲法で「市民が武器を保有し、また携帯する権利は、これを侵してはならない」としているからです。そのため社会には銃が広く行き渡り、これを規制しようとすると「善良な市民だけが銃を放棄し、武装した犯罪者の餌食になる」との批判が噴出して身動きがとれなくなってしまうのです。

しかしこれは、日本のような「銃のない社会」から見れば、ものすごくバカバカしい話です。そんなおかしな憲法はさっさと改正しておけばよかったのですが、市民の武装権はアメリカ建国の理念とされていて、「不磨の大典」に触れることは許されないのです。

日本で総選挙が決まったときに、このふたつの事件がアメリカで起きたのは象徴的です。

太平洋戦争に敗北した日本は米軍に占領・統治され、民主国家へと「改造」されました。戦後日本の歴史には、アメリカへの憧れと反発の複雑な心理が深く刻印されています。

1970年代まではアメリカは「きらきら輝く夢の国」でしたが、「ジャパン・アズ・ナンバーワン」といわれるようになった80年代からすこしずつ印象が変わっていきます。それがよくわかるのが音楽で、かつての若者は海の向こうのヒットソングを知るためにラジオにかじりついていましたが、いまではJポップのファンは洋楽になんの興味もありません。「同じような曲が日本語で楽しめるのにわざわざ英語の歌を聴く必要などない」と考える彼らに、もはやアメリカへの憧れはないのでしょう。

しかしなんといっても、決定的なのは2016年末の米大統領選です。「民主主義の教科書」だった国に世界じゅうから笑い者にされる大統領が誕生したことで、多くの日本人の「アメリカ幻想」がはがれ落ちました。プエルトリコやラスベガスのニュースを見ても、驚くというよりは「あんな国に生まれなくてよかった」と思うだけでしょう。

日本人が〝保守化〟し「すごいぞニッポン！」が増殖するのは、「あそこよりはマシ」な国がどんどん増えているからなのかもしれません。

Part 4

ニッポンの
不思議な出来事

みんなが忖度する社会で忖度を批判しても……

日本じゅうを大騒ぎさせた森友学園問題ですが、世論調査では「政府がじゅうぶんに説明しているとは思わない」との回答が8割を超えるものの、安倍政権の支持率はさほど下がらない、という結果になりました。

幼稚園児に教育勅語を暗唱させ、軍歌を歌わせる特異な教育理念を掲げる理事長が、小学校の設置認可と用地取得に便宜を図ってもらおうと政治家を通じて行政に強い圧力をかけたことはまちがいないでしょう。そのなかでもっとも効果的だったのは、首相夫人が名誉校長に就任したことです。日本国籍を取得した韓国人の親に「韓国人と中国人は嫌いです。日本精神を継承すべきです」との手紙を送りつけた理事長夫人に、神道に傾倒する首相夫人が同志的なつながりを感じていたこともメールのやりとりから明らかです。

しかしこれだけでは、首相の責任を追及し内閣退陣を求めるにはちから不足です。大半のひとはこれを、〝神道カルト〟ともいうべき理事長夫婦とスピリチュアルにはまった首相夫人に、行政担当者（そして夫である首相）が振り回された事件だと見なしているのでしょう。

森友学園への国有地売却で注目を浴びたのは「忖度」です。私人であるはずの首相夫人に経済産業省から出向した秘書がいて、理事長からの要請を財務省に問い合わせ、FAXで回答していたことが証人喚問で暴露されましたが、回答そのものは便宜を約束したものではありませんでした。そこで、「形式的には断っているものの、役人はこの学園への首相夫妻の強い意向を感じ、破格の安値で国有地を取得できるよう取り計らったにちがいない」というのです。

これもありそうな話ですが、やっかいなのは、忖度そのものは違法でもなんでもないことです。それればかりか、忖度は「相手の気持ちをおもんぱかること」で、これまで日本社会では美徳とされてきました。

「いちいち言葉に出さなければひとの気持ちを理解できない」のは、学校でも会社でも、日本のあらゆる組織でもっとも嫌われるタイプです。これが世代と関係ないことは、子どもたちのあいだで「KY（空気を読めない）」がいじめの対象になることからもわかります。

日本の組織の特徴は流動性がきわめて低いことです。いったん就職すると定年まで40年以上もひとつの組織に「監禁」されるのですから、若いときの悪い評判はずっとついてまわって出世を妨げます。閉鎖空間のムラ社会では、ひたすら失敗を避け、リスクをとらず、上司や同僚の気持ちを「忖度」するのが生き延びるための唯一の戦略になるのです。

日本の組織では忖度できない人間は真っ先に排除されるのですから、森友学園問題に対応した財務省や大阪府の行政担当者が「忖度の達人」なのは当たり前です。彼らを批判するマスメディアも、会社内の人間関係は忖度によって成り立っているはずです。安倍首相の責任を追及する野党の政治家にしても、支持者の要望を忖度できないようでは当選はおぼつかないでしょう。

そう考えれば、森友学園問題が失速気味な理由もわかります。みんなが忖度する社会で忖度を批判することは、自分の首を自分で絞めるようなものなのです。

「胸触っていい?」「手縛っていい?」のあの人はサイコパス?

2018年4月、森友問題で大揺れの財務省で、セクハラで事務次官が辞任するスキャンダルが追い打ちのように発覚し、信用失墜に歯止めがかからなくなりました。「胸触っていい?」「手縛っていい?」などの下品な発言の音声がインターネットで公開され、連日ワイドショーで流されたことで、安倍首相の悲願である憲法改正はますます前途多難になりました。

　セクハラ問題では、被害を受けた女性記者に名乗り出ることを求めた財務省の対応に批判が集まりました。とはいえ、当の事務次官が否定している以上、役所にできるのは両者の話を聞いて事実関係を調べることだけというのもたしかです。

　当初は風俗店の女性相手の会話ではないかとの憶測も流れましたが、テレビ局の女性記者が録音したものだということが判明して、事務次官が若い女性記者を頻繁にバーに呼び出し、1対1で「会話を楽しんでいた」実態が明らかになりました。「（事務次官の）人権はどうなる」と庇った麻生太郎（あそうたろう）財務大臣の面目も丸つぶれです。

　一連の経緯で不思議なのは事務次官の対応です。取材を受けた時点でなんのことかわかったはずなのに「女性記者とのあいだでこのようなやりとりをしたことはない」と事実関係を否定したばかりか、辞任のときも「全体を見ればセクハラに該当しない」と強弁して火に油を注ぎました。

　ある意味一貫したこの態度からわかるのは、「セクハラなどやっていない」と本心から思っていることと、自分の発言が世間からどのように受け取られるかをまったく理解できていないことです。これは共感能力の欠如したひとに特有の言動です。

　欧米の研究では、大企業のＣＥＯの多くはサイコパスだと指摘されています。しかしこれは犯罪者のことではなく、「知能が高く、共感能力が著しく低い」人格のことをいいます。

「賢いサイコパス」がなぜ出世するかというと、どんなときも常に合理的な決断ができるからです。大規模なリストラをしなければ会社が潰れてしまうときに、解雇される従業員の家族の心配をしているようではまったく役に立ちません。多くの将兵の生死を預かる軍のトップと同様に、いまでは企業経営者にも極限状況での大胆さと冷酷さが求められるのです。

共感能力が欠落していれば他人の気持ちはまったくわかりませんが、「賢いサイコパス」はその高い知能を使って社会的な振る舞いを学習できます。自分の言動が相手にどのような影響を与えるかを冷静に分析すれば、組織のなかで「できる部下」や「頼りがいのある上司」を演じることは難しくないでしょう。女性との関係でも、「スケベだけど面白いおじさん」というキャラをつくることでナンパ成功率を上げる戦略を編み出すかもしれません。

しかしこのタイプは、共感能力がないために、そのキャラを面白がる女性と、セクハラだと感じて嫌がる女性を区別できません。これでは、事態が公になってからも、なにを批判されているか理解できなくても不思議はありません。

そう考えると、この奇妙な一貫性の背後にあるものが見えてくるかもしれません。

参考文献：ケヴィン・ダットン『サイコパス　秘められた能力』ＮＨＫ出版

女性記者はなぜ「タダで遊べるキャバ嬢」になるのか

仕事場の近くの住宅街に、玄関脇に警察官の警備ボックスが設置された家があります。路上に黒のスーツ姿の若者が5、6人立っていて、黒塗りの車が家の前に停まると、一斉に走り寄って下りてきた人物を取り囲みます。自民党重鎮の東京の自宅で、憲法改正問題で強い影響力を持っているため、メディア業界で「夜討ち」と呼ばれる取材対象になっているのです。

夜の散歩の途中にこうした場面に何度か遭遇したことがありますが、政治家は記者たちに軽く手を振るとさっさと家に入ってしまいます。すると記者は、それ以上なにをするでもなく、スマホを取り出してなにごとか話しながら駅へと向かいます。「話すことはないよ」といわれ、それを社に報告しているのでしょう。

こんな「取材」になんの意味があるのかさっぱりわかりませんが、なにごとも横並びで、他社に「抜かれる」ことを最大の汚点とする日本のメディアは、この奇妙な風習を一向にやめようとはしません。

早朝や深夜にアポなしで自宅にやってこられては迷惑以外のなにものでもありません。こんなことを毎日やれば、「ストーカー行為」として逮捕されてもおかしくないでしょう。それなのに警備の警官が黙認しているのは、彼らが「記者クラブ」というインナーサークルのメンバーだからです。

日本は「先進国の皮をかぶった身分制社会」なので、あらゆるところに「身分」が顔を出します。記者クラブ制度もその典型で、そこに加入している大手メディアの記者だけが政治家や官僚、警察幹部などに特権的にアクセスでき、フリーのジャーナリストが同じことをすると「犯罪」になってしまうのです。

権力の側から見れば、これは特定のメディアに便宜を図ってやっている、ということです。便宜供与を受ければ、当然、返礼が求められます。このようにして、権力とメディアは癒着していきます。このことは、アメリカの法学者で、言論・表現の自由に関する国連特別報告者でもあるデイヴィッド・ケイ氏からも指摘されていますが、驚いたことに、日本のほとんどのメディアはこの記者会見を無視しました。

これまで日本の大手メディアは、「夜討ち、朝駆けは取材対象者との信頼関係をつくるのに必須」と主張してきました。しかし、大学を出たばかりの若者と、憲法改正のような重要な政治課題についていったいなにを話せばいいというのでしょう。政治家の側から、「なにも知らない記者を取材によこすな」とクレームが入ることも多いといいます。

記者クラブ制度の欺瞞は、財務省の前事務次官が、記者のなかから気に入った若い女性を選んで、「タダで遊べるキャバ嬢」として夜中に呼び出していたことから白日のもとにさらされました。女性記者からセクハラを相談された上司が揉(も)み消そうとしたのは、権力との「特別な関係」を壊したくなかったからでしょう。批判が自分たちの特権に飛び火するのを嫌がる各社が、この問題の追及に及び腰なのも当然です。

ちなみに、私がこれまで見た「夜討ち」の記者は全員が若い男性でした。彼らは、官僚の頂点に君臨する財務省事務次官とタメ口をきく同世代の女性記者をどう思っているのでしょうか。

「戦闘で1人の犠牲者も出してはならない」組織で国際貢献できる？

古代エジプトの遺跡をめぐるナイル川クルーズの見所のひとつがアブ・シンベル神殿で、アスワン・ハイダムでできたナセル湖のほとりにあります。神殿の入口ではカラフルな民族衣装の男たちが民芸品を売っていて、ガイドは彼らに目をやると、「ちょっと先のスーダンから来てるんだよ」といいました。「あんな国に行くことはないだろうから、関係ないだろうけどね」

そのスーダンに駐屯していた自衛隊の派遣部隊をめぐり、２０１７年2月、国会が紛糾しました。しかし私を含め、スーダンを訪れたことのある日本人はほとんどいないでしょうし、どこにあるのか知らないひとも多いでしょう。

自衛隊が国連平和維持活動（ＰＫＯ）に参加していたのは南スーダンで、２０１１年にスーダン共和国から独立しました。歴史的には、エジプトが占領していたスーダン北部はアラブ系住民の多いイスラーム圏、イギリスが統治した南部は黒人の多いキリスト教圏で、１９５６年の独立後も北部と南部の対立はつづきます。１９７０年代に南部に油田が発見されると20年におよぶ泥沼の内戦が始まり、アメリカの支援を受けた住民投票で南部独立が達成されてからも、大統領派と副大統領派の部族衝突から内戦が勃発しました。この混乱で国連のＰＫＯが秩序維持にあたることになり、２０１１年9月に当時の民主党・野田佳彦（のだよしひこ）政権が自衛隊の派遣を決定しました。

ところがその後も紛争状態は改善せず、16年7月には自衛隊の駐屯する首都ジュバで武力衝突が発生します。国会で問題とされたのは、現地の自衛隊が日報でこれを「戦闘」と記録していたのに対し、防衛相が「衝突」と言い換えて答弁した、というものです。自衛隊が「戦闘」に巻き込まれる恐れが明白になれば、「ＰＫＯ参加5原則」が崩壊することを危惧したのでしょう。

この論争（というか、言葉遊び）で不思議なのは、「自衛隊員の生命を守れ」というひとはいても、南スーダンのひとたちのことはだれも話題にしないことです。17年2月、国連事務総長特別顧問は「大虐殺が起きる恐れがつねに存在する」との声明を発表しました。ルワンダのような悲劇を防ぐために各国がＰＫＯ部隊を派遣しているのですが、「平和憲法の精神」を説くひとたちは、自衛隊を撤収してジェノサイド（民族大虐殺）の危険のなかに住民を置き去りにすることをどう考えているのでしょうか。

「アフリカの国のことなんてどうでもいい」とか、「国民同士が殺し合うのは自己責任だ」という〝ジャパニーズ・ファースト〟の政治的主張もあり得るでしょう。ところが自衛隊撤収を求めるひとたちは、「非軍事の人道支援、民生支援に切り替えるべきだ」などといっています。軍隊ですら危険な地域に出かけていく民間人などいるでしょうか。

とはいえ、国民の多くが、なぜ自衛隊が南スーダンで危険な任務に就かなくてはならないか疑問に思っている以上、活動終了を決めたことは正しい判断でしょう。そもそも自衛隊は、「戦闘で1人の犠牲者も出してはならない」という世にも奇妙な組織です。それを国際貢献の名の下に、ＰＫＯという「軍隊」として派遣したことがまちがっているのですから。

自衛隊にはなぜ軍法会議がないの？

日本の自衛隊についてずっと不思議だったことがあります。トム・クルーズ、ジャック・ニコルソン主演の『ア・フュー・グッドメン』のように米軍を描いたハリウッド映画には軍法会議が舞台のものがいくつもあるのに、自衛隊にはなぜ軍法会議がないのか、ということです。さらに不思議なのは、憲法9条改正の議論のなかで、保守派もリベラルもこのことを問題にするひとがほとんどいないことです。世界の軍隊のなかで、軍法会議の制度を持たないのは（おそらく）自衛隊だけだというのに。

これは私の個人的な感想ではなく、日本法制史の碩学（せきがく）である霞信彦（かすみのぶひこ）氏（慶應義塾大学名誉教授）は、『軍法会議のない「軍隊」』（慶應義塾大学出版会）でこの異様な状況について述べています。自衛隊は国際的には重武装の「日本軍」であり、中国や北朝鮮との軍事的緊張も高まっているというのに、日本国内ではいまだに「自衛隊は軍隊ではない」あるいは「自衛隊は違憲だ」との理由で、軍司法制度（軍刑法と軍法会議）がないことを当然とする「常識」がまかり通っているというのです。

軍法会議がないと、どのようなことになるのでしょうか。

ＰＫＯに派遣された自衛隊の部隊が現地で武装勢力から攻撃を受け、戦闘に巻き込まれた民間人が死傷したとします。こうした場合、ＰＫＯ部隊の兵士の行為が適切だったかどうかはそれぞれの派遣国の軍法会議によって裁かれることになっていますが、日本には軍司法制度がありません。そうなるとこの事件は、検察が自衛隊員を被疑者として刑法１９９条の殺人罪で起訴し、日本の裁判所で審理するほかないのです。

南スーダンのＰＫＯに派遣された陸上自衛隊の日報を防衛省が組織的に隠蔽していたとして、２０１７年７月に当時の稲田朋美防衛大臣は辞任しました。日報には首都ジュバで大規模な武力衝突が発生した際の状況が記録されており、これが「紛争当事者間で停戦合意が成立していること」というＰＫＯ参加５原則に反しているため公表を躊躇したのだと報じられています。

たしかにそういう事情もあるでしょうが、安倍政権が南スーダンからの自衛隊撤退を決断した理由は、現地でやむなく戦闘行為を行なった場合、それにともなう民事上・刑事上の紛争を処理することができないからでしょう。自衛隊は主要国に匹敵する武力を保有していますが、「戦う」ことを前提にしていないのです。

同年９月、安倍首相は北朝鮮の核ミサイル開発を「国難」として総選挙に踏み切りましたが、朝鮮半島で有事が起きても、このままでは自衛隊はなにもできない張り子の虎です。それでも万が一、北朝鮮軍が攻撃してくれば自衛隊は応戦するでしょうが、そもそも憲法上は存在しないはずの軍隊なのですから、すべては「超法規的」に行なわれるしかありません。

近代国家はすべての「暴力」を独占しますから、国民にとってもっとも重要なのは、その強大な「暴力」を民主的な法の統制の下に置くことです。その中核部分が空白になっているとすれば、これは「スパイ防止法」や「共謀罪」どころの話ではありません。「軍法会議のない軍隊」を放置している政府も、自衛隊という「暴力装置」の法治を拒絶しているリベラルも、そろそろこの異常さと向き合う必要があるのではないでしょうか。

イラク日報問題で、自衛隊の「制服組」はなぜ国会で説明しないのか

2017年には「モリカケ」問題に加え、厚労省の「特別指導」や自衛隊のイラク派遣時の日報隠しなど、安倍政権に次々と不祥事が勃発しましたが、これらに共通するのは、国会での首相や大臣、省庁幹部の答弁と矛盾しないように、なんの躊躇もなく文書を隠蔽したり改ざんしたりするお役人の体質です。

ただし、安倍政権の「独裁」で行政が歪められたと決めつけることはできません。事実はおそらく逆で、官僚はもともと権力におもねる〝本能〟を持っていたものの、これまでは小泉純一郎政権を除いて短命だったため、様子見を決め込んでいただけなのでし

ょう。超長期政権が確実になったことで、法律も規則も無視して一斉に媚(こび)を売るようになったと考えれば、いま起きている事態をシンプルに説明できます。

こんな情けないことになる理由は、これまで何度も述べてきたように、日本の労働市場に流動性がないからです。転職のできない環境では、いったんネガティブな評価を受ければ、閑職で飼い殺しにされるしかありません。だとしたら、自分や家族の将来のためにどんなことでもするようになってもなんの不思議もありません。

しかしそのなかでも、自衛隊の日報問題はちょっと特殊です。

日本におけるシビリアンコントロールとは、「背広組」と呼ばれる防衛省の文官が「制服組」と呼ばれる武官を統治することをいいます。防衛大臣は直接、幕僚長ら「制服組」幹部に指示を出すのではなく、事務方トップの防衛省事務次官など「背広組」が仲介します。北朝鮮のミサイル実験のような安全保障にかかわる事態でも、国会で自衛隊の見解を説明するのは「背広組」の官僚です。

イラク派遣時の日報を「隠していた」とされるのは、陸自や空自などの現場です。常識で考えれば、彼らが部隊の貴重な活動記録である日報を破棄するはずはなく、どこかに保管されているのは公然の秘密だったはずです。ではなぜ「存在しない」などと報告したかというと、国会で釈明するのは「背広組」で、自分たちには関係ないと思っていたからでしょう。現場の自衛官にとって、国会は「他人事」なのです。

近代国家はすべての暴力を独占しますが、そのなかで最大の「暴力装置」が軍であることはいうまでもありません。世界標準のシビリアンコントロールとは、選挙で選ばれた政治家＝国会が軍を統制することですが、今回の出来事が明らかにしたのは、現場の自衛官は国会のことなどまったく気にしていないという現実です。

しかしここで、自衛官だけを責めることはできません。野党はなにかあるたびに「責任者を喚問せよ」といいますが、日報問題で責任を負うべき空自や陸自の幕僚長を国会に呼ぼうとはしません。なぜなら、「制服組を国会に立たせてはならない」という暗黙の了解があるからです。これは、陸軍大臣や海軍大臣などの軍人が国会を蹂躙し、日本を破滅へと引きずり込んだ「負の記憶」があるからだとされます。

その結果、自衛隊は国会とは切り離され、この国のシビリアンコントロールは名ばかりのものになってしまいました。論じるべきは安倍政権への忖度ではなく、この深刻な問題なのです。

「過労自殺はなぜなくならない？」だれもいわない単純な理由

大手広告代理店に入社してわずか8カ月の女性社員が2015年のクリスマスの晩に投身自殺し、日本企業の長時間労働と過労死があらためて批判されました。この広告代理店では2013年にも30歳の男性が過労死（病死）しており、労働基準監督署からの度重なる是正勧告を無視していたことが「悪質」と見なされ、刑事事件も視野に入れて立ち入り調査が行なわれました。

報道によれば、女性社員はインターネット広告を担当する部署に配属され、クライアント企業の広告データの集計・分析、レポート作成などを担当していました。このネット広告部門は9月末に、レポートを改ざんして運用実績を虚偽報告したり、広告不掲出で過剰請求したりするなどの不正行為が発覚したばかりでした。その原因について会社側は、「現場へのプレッシャーも含めてマネジメントが配慮すべきだった」「複雑で高度な作業に対して恒常的に人手不足だった」と説明しています。

女性社員は自殺前、SNSに「休日返上で作った資料をボロくそに言われた　もう体も心もズタズタだ」「いくら年功序列だ、役職についてるんだって言ってもさ、常識を外れたこと言ったらだめだよね」などと投稿しており、混乱する現場と稚拙なマネジメントの犠牲になったことは明らかです。

批判を受けて広告代理店は、本社ビルを夜10時に一斉消灯するなど深夜残業を抑制する措置をとりましたが、はたしてこんなことで問題が解決するでしょうか。

広告代理店はこれまで、テレビと新聞・雑誌を主な媒体として営業を行なってきました。それが2000年代に入って急速にインターネットにシフトしたため、従来のビジネスモデルを大きく転換しなくてはならなくなりました。

欧米企業はこのようなとき、まずはインターネット広告に精通した人材を外部（たとえばヤフーやグーグル）から引き抜き、プロジェクトチームのトップに据えます。チームのメンバーも、プログラミングやＷＥＢデザインの経験がある若手をベンチャー企業などから集めるでしょう。まったく新しい分野なので、本社の社員は他部門との連絡役がいればいいだけです。

こうしたエキスパート集団なら、ネット広告のイロハも知らない新人が配属され、素人同然の上司に翻弄されて擦り切れていく、などという事態は考えられないでしょう。

だったらなぜ、こんな簡単なことができないのでしょうか。

それはいうまでもなく、年功序列・終身雇用の日本企業では、プロジェクトの責任者を外部から招聘（しょうへい）したり、中途入社のスタッフだけでチームをつくるようなことができないからです。そのため社内の乏しい人材プールから適任者を探そうとするのですが、そんな都合のいい話があるわけがなく、「不適材不適所」で混乱する現場を長時間労働の体育会的根性論でなんとか切り抜けようとし、パワハラとセクハラが蔓延することになるのです。

なぜ労基署はこの違法・脱法行為を是正できないのでしょうか。それは官公庁こそがベタな日本的雇用の総本山で、民間企業を強引に指導すると「だったらお前たちはどうなんだ」とヤブヘビになるからです。事件を批判するマスメディアも同じ穴のムジナで、無意味な説教を繰り返すだけです。こうしてどれほど犠牲者が出ても、長時間労働も過労死も一向になくならないのです。

増税反対もネオリベ批判もじつは統計がまちがっていた？

2014年4月に消費税を8％に引き上げたあと、実質GDPは前年度比0・9％減のマイナス成長に陥りました。リフレ派はこれをもとに、「増税すればアベノミクスが台無しになる」と大合唱し、安倍首相は消費税の10％への引き上げを2度にわたって延期しました。

しかしこの数字には、当時から疑問の声が漏れていました。第二次安倍政権の発足以来、日銀の大胆な金融緩和により為替は1ドル＝80円から14年末に119円まで下落し、大手企業の収益改善で日経平均株価も1万円から1万7500円まで上昇していたからです。「景気はよくなっている」というのが市場の実感で、だからこそ実質GDPのマイナスは大きな衝撃でした。

ところが2016年7月になって、驚くべき数字が出てきました。日銀の調査統計局長が、日銀職員による個人論文と断ったうえで、14年度の実質GDPは2・4％増、名目ＧＤＰは約30兆円も多い５１９兆円だったと述べたのです。

　これほど大きなちがいが生じたのは、内閣府が政府の公式統計などをもとにＧＤＰを算出しているのに対し、日銀の論文は住民税や法人税などの納付状況から経済活動を推計しているからです。専門家のあいだでは日銀の方式がより正確との意見が多いようですが、だとしたら消費税増税をめぐるあの大騒ぎはなんだったのでしょうか。増税しても景気が回復しているのなら、「経済学博士」の肩書きを持ついい年をした大人がリフレ政策をめぐって罵詈雑言を浴びせ合う見苦しい姿を見る必要もなかったはずです。

　同様の混乱は小泉政権時代にも起こりました。２００６年にＯＥＣＤが発表した「対日経済審査報告書」で、日本の相対的貧困率はアメリカに次いで高いと指摘されたのです。これによって「一億総中流」の常識は覆され、「ネオリベ（新自由主義）のせいで経済格差が拡大した」との批判に火がつきました。

　しかしこの統計に対しても、「深刻な人種問題を抱えるアメリカと同じなんて、いくらなんでもおかしい」との疑問が囁かれていました。

　手品の種は、じつは単純でした。人生にはいいこともあれば悪いこともありますから、その他の条件がまったく同じでも、高齢化によって自然に経済格差は大きくなっていくのです。

　その後、専門家によって「高齢化の影響を調整すれば、日本の経済格差が拡大しているとはいえない」との反論が続々と出てきますが、「ネオリベ批判」に血道をあげるひとたちはこの不都合なデータに耳を貸そうとはしませんでした。ところが実際には、家計調査データで「貧しさのために生活必需品を買えなかった」割合を調べると、日本は国際的にもっとも経済格差が小さな国であるばかりか、小泉改革で格差が縮小していることがわかったのです。ここでも、あの大騒ぎはなんだったのか、徒労感を覚えるのは私だけではないでしょう。

でもこれは、小泉改革で日本がよくなったという話ではありません。データによれば、日本企業のリストラによって年功賃金のカーブがゆるやかになった（中高年に高い給与を払わなくなった）ため、所得が下の層にさやよせされて、より「平等」な社会になったのです。

参考文献：本川裕『統計データが語る 日本人の大きな誤解』日経プレミアシリーズ

「働き方国会」が紛糾する〝恥ずかしい〟理由

2018年2月、厚労省の裁量労働制調査で不適切なデータが見つかって、「働き方

「国会」が紛糾しました。とはいえ、いったいなにが問題になっているのかよくわからなかったひともいるでしょう。じつはこれは、かなりややこしい話なのです。

ひとつは、裁量労働制の適用範囲を拡張したい政府に対して、それを批判する側が単純に「反対！」とはいえないことです。なぜなら、安倍政権と対決する〝リベラル〟なテレビ局や新聞社の社員の多くは裁量労働制で働いているのですから。

「なぜあなたと同じ働き方をほかのひとがしてはいけないのですか？」と問われて、「自分たちは特権階級でお前らとはちがう」とこたえるわけにはいきません。これが、メディアが「裁量労働制とはなにか」という本質の議論を避け、重箱の隅をつつくような批判を繰り返す理由でしょう。

ふたつ目は、なぜ労働時間にばかりこだわるのかということです。国会では、過労死を招く長時間労働こそが元凶で、労働時間さえ短くすればすべて解決するような話になっていましたが、その根拠は示されていません。

シリコンバレーのベンチャー企業では、エンジニアやプログラマは会社に泊まり込んで働いています。日本でも同じでしょうが、法律によって彼らの長時間労働を規制してなにかいいことがあるのでしょうか。

このような混乱が起きるのは、スペシャリスト（高度プロフェッショナル）とバックオフィスの働き方が根本的に異なることを理解できていないからです。

スペシャリストは「会社の看板を借りた自営業者」ですから、青天井の成果報酬で、求められた結果さえ出せば週休3日でも1日24時間働いても本人の自由です。それに対してバックオフィスはフルタイム・パートタイムにかかわらず同一労働同一賃金の時給計算で、労働時間には上限を定め、サービス残業という「奴隷労働」など許されるはずがありません。

日本的雇用の特徴は、スペシャリストとバックオフィスが正社員という「身分」でいっしょに扱われていることです。そのため本来は裁量労働制を適用すべきでないバックオフィスに長時間労働させる一方で、自由に働きたいスペシャリストに窮屈な枠をはめて生産性を落とすことになっています。だからこそ、法によってスペシャリストを厳密に定義したうえで、彼らの自由な働き方を保証しなければならないのです。

3つ目は、政策の決定にあたってこれまでの「証拠（エビデンス）」になんの価値もなかったことが暴露されたことです。厚労省の対応を見れば、「裁量労働制の拡張」という結論が先にあって、それに見合ったデータを適当につくったことは明らかです。それがいきなり、データの学問的な根拠を問われて慌てふためいているのです。

しかしこれは、厚労省のお役人が経済学や統計学のなんの訓練も受けていないことを考えれば当然のことです。そもそも彼らは、「異なるデータを比較してはいけない」ことすら知らなかったのではないでしょうか。

こうして話はひとつのところに落ち着きます。日本社会のいちばんの問題は、会社にも官庁にもまともな専門家（スペシャリスト）がおらず、「仕事は苦役」と考える素人が適当なつじつま合わせをやっていることです。これでは、「高度プロフェッショナル」のための法律などつくれるはずはありません。

厚労省が失態を繰り返すのは「素人」だから

２０１９年１月、雇用保険や労災保険の算出にも使われる「毎月勤労統計」の不適切調査で、厚労省がふたたび大きく揺れました。ただし報道を見るかぎりでは、事件の本質は１年ほど前に起きた裁量労働制についての調査データの不正とまったく同じです。

なぜこんな失態を何度も繰り返すのでしょうか？

日本の会社の際立った特徴はスペシャリスト（専門家）をつくらないことで、「ゼネラリストを養成する」という建前の下、数年単位でまったく異なる部署に異動させていきます。

総務部から営業部への異動や、経理部から地方支店への転勤など、日本の会社で当たり前のように行なわれている人事を聞くと、海外のビジネスパーソンは腰が抜けるほど驚きます。世界標準の働き方では、学歴・資格で仕事の内容が（おおよそ）決まり、専門外の分野に移ることはないからです。

世界でも特異な日本的雇用慣行は役所も同じで、上司や部下が専門とはまったく関係のない部署から異動してくることは日常茶飯事です。――私の知人は、芸術文化振興の部署から自治体病院の事務局長に異動しました。厚労省の統計部門の詳細はわかりませんが、大学や大学院で統計学の専門教育を受けたスタッフはほとんどいなかったのではないでしょうか。

今回の不祥事も、統計の基礎すら知らない素人が集まっていると考えるとすっきり理解できます。

不正のきっかけは2004年に東京都から「全数調査が大変だから抽出に変更したい」と相談されたことのようですが、法律に違反するにもかかわらずあっさり認めてしまったのは、全数調査と抽出調査のちがいが理解できなかったからでしょう。

その後、一部の職員が不適切な調査に気づき、全数調査の結果に近づける補正を行なうのですが、こんなことを気軽にやるのは、統計を自分たちの都合で勝手にいじっていいと思っていたからです。

不正が明らかになっても過去の経緯が不明なのは、組織的に隠蔽しているというより、担当者が何人も代わってだれがなにをしたのかわからなくなっているのでしょう。

過去の統計資料を廃棄していたことも明るみに出ましたが、これも悪気があるのではなく、「どうでもいい」と思った担当者が独断で捨てていたと考えるのが自然です。

厚労省職員は相次ぐ不始末の原因に「多忙」をあげるようですが、なぜ長時間労働になるかというと、能力を超えたことをやらされているからです。

ではどうすればいいのか。問題の本質が専門性の欠如なのですから、解決策はかんたんです。

まず、統計を扱う部門をすべての省庁から切り離し、イギリスの国家統計局のような議会直属の独立機関に統合して、職員は統計の専門家を外部から採用します。そのうえでデータを公開し、世界じゅうの専門家が利用・検証できるようにすれば、今回のようなくだらない出来事は根絶できるでしょう。

ただし、このような改革を進めるとほとんどの官僚は仕事がなくなってしまいそうですが。

日本企業は「体育会系」大好き、日本社会は「運動部カルト」

すこし前のことですが、ヘッドハンティングを仕事にしているひとの話を聞いたことがあります。新しい部署や事業部を任せられる幹部を、年収1000万円から3000万円で探すよう頼まれるのだといいます。

ヘッドハンターによると、日本企業と外資系企業では採用基準がちがうそうです。外資系企業が評価するのは学歴・資格・職歴・経験、そしてなにより実績で、男女の別や国籍・人種は問いません。それに対して日本企業は「男性」「日本人」が当然の前提で、女性や外国人はそもそも検討の対象にもなりません。

こういうところに日本企業の差別的な体質が表われていますが、それは容易に想像できます。興味深いのは、外資系企業がまったく関心を示さないのに、日本企業にとってきわめて重大な属性があることです。それが「体育会」です。

「いつも不思議に思うんですけど」と、ベテランのヘッドハンターはいいました。「大学の運動部出身というと、どこも大歓迎なんです。〝えっ、この程度の実績でいいの〟と思うようなひとでも、どんどん採用されていきます」

顧客の再就職が決まると、その年収に応じてヘッドハンターに報酬が支払われます。逆にいえば就活中はタダ働きになってしまいますから、できるだけ早く決めたいと思うのは人情でしょう。そこで日本企業から求人のオファーがあると、大学運動部出身者を優先的に斡旋するのだそうです。

ヘッドハンターが日本企業の経営者や人事部長に「なぜ運動部出身者がいいのか」と訊くと、そのこたえは常に同じで、「組織の文化に合っているから」だそうです。彼らが求めているのは、権力に対して従順で、先輩・後輩の序列を重んじ、「右を向いてろ」

といわれたらずっと右を向いて立っているような人材なのです。なぜなら、自分自身がそうだから。

ここまで読んで、あの事件を思い浮かべたひとも多いでしょう。

相手選手に悪質なタックルをした学生が記者会見で述べたように、日本大学のアメフト部は監督がすべての権力を持つ独裁者で、その指示が絶対であるのはもちろんのこと、言葉による指示がなくてもそれを「忖度」できなければ試合に出してもらうことすらできません。選手もコーチたちも監督に気に入られることだけに必死になり、自分たちの言動がどれほど常識と隔絶しているか気づかなくなります。

これはまさに「運動部カルト」で、ここまで極端な例は多くないとは思いますが、体育会の体質はどこも似たようなものでしょう。そしてこれは日本企業の体質であり、日本社会の体質でもあります。

今回の事件にみんな憤激していますが、カルトが生まれるのはそれを容認する土壌があるからです。日本人は「体育会」が大好きなのです。

当たり前の話ですが、根性と気合と浪花節では冷徹で合理的な経営をするグローバル企業に太刀打ちできるはずはありません。

「無能な人材を喜んで採用してるんだから、日本企業が国際競争から脱落するのは当然ですよ」と、ヘッドハンター氏は他人事のようにいいました。

「高等教育の無償化」は教育関係者への巨額の補助金

２０１７年5月に憲法改正の意向を表明した安倍首相ですが、9条と並んで「高等教育の無償化」を掲げたことがさまざまな批判を招きました。

「わざわざ憲法に書き入れる必要はない」との主張は、9条改正の目くらましに使うことを警戒していたのでしょう。「社会保険料から徴収する子ども保険は負担が現役層に偏り不公平だ」とか、「子ども国債は赤字国債と同じで将来世代への借金の先送りにすぎない」との批判もありましたが、だったら消費税を引き上げて教育予算を増額すればいいのでしょうか。

この問題を考えるポイントは、そもそも教育無償化がだれのためのものか、ということです。

農家が、「ご飯をたくさん食べれば健康で長生きできる」としてコメの無償化を求めたとしたら、これが農家への補助金であることはだれでもわかります。しかし教育の無償化では、まったく同じことを主張しているにもかかわらず、「子どものため」とか「未来の日本のため」とされて、教育関係者への巨額の補助金であることはだれも指摘しません。

これは国民のあいだに「教育はよいもの」という幻想が強いことと、教育関係者が高学歴であることから説明できます。彼らはその高い知能を使って教育幻想をまき散らし、政治家や官僚、国民を幻惑して自分たちの懐を税金で太らせようとすると同時に、その利己的な所業を自己欺瞞によって気づかないようにしています。優秀な詐欺師と同じように、自分への補助金を「子どものため」だと本気で信じ、きれいごとをいいつづける厚顔無恥は、自分で自分をだましているひとにしかできません。

教育を無償化する根拠として、高卒より四年制大学の卒業者の収入が高いことが挙げられますが、これは奇怪な論理です。

一流大学の卒業生が就職に有利なのは、その稀少性が知能と能力の指標として使われているからです。「東大卒」のブランドがあればだれでも成功できるなら、18歳の全員が東大に入れるようにすればいいでしょう。大卒を増やせば貧困を解消できるというのは因果関係が逆転しています。

もちろん、「賢い子どもが貧しさで進学をあきらめる」ことはあるでしょう。しかしその場合は、奨学金や民間金融機関の教育ローンを充実させればいいだけです。「よい大学にいけば経済的に成功できる」というのがこの話の前提なのですから、社会に出たあとに利子をつけて返済してもらえばいいだけの話で、税金を投入する理由はどこにもありません。

教育無償化の理屈が破綻するのは、「子どものため」に税金を使えと主張するからです。「私的な利益になぜ自分の税金が使われるのか」との批判に抗するには、教育が「社会のため」であることを証明しなければなりません。「人的資本に投資すれば、（犯罪率の低下などで）10万円の税金が将来的に20万円になって返ってくる」というのなら、この話を真剣に考えるひとも出てくるでしょう。

だったらなぜ、「証拠に基づいた」議論ができないのでしょうか。それは、日本で「高等教育」と呼ばれているものの現場にいるひとたちが、働いて税金を納める人材を養成しているかどうかを検証されると困るからなのでしょう。

母子家庭を生活保護から切り離しては？

生活保護費のうち、食費などの生活費をまかなう「生活扶助費」が２０１８年から大幅に引き下げられました。この決定についてはさまざまな議論があるでしょうが、いちど整理してみましょう。

まず、福祉社会の最大の敵はモラルハザードであり、生活保護制度を守るためにはフリーライダー（ただ乗り）を排除しなければなりません。働いてこつこつ年金保険料を払ってきたひとよりも、一銭も払わずに生活保護で暮らす方が得であれば、バカバカしくてだれも年金制度に加入しようとは思わないでしょう。

もちろん、年金保険料を払えなかったやむを得ない事情があるひともいるでしょう。

しかしその一方で、ネットには「ナマポ（生活保護）で暮らせばいいんだから年金保険料なんて払わない」という書き込みがいくらでも見つかります。世界でもっとも高度な福祉社会である北欧諸国は、「国家の保護に頼ってはいけない」と道徳の授業で子どもたちに教えているといいます。日本も社会保障をもっと充実させるべきだと考えるなら、フリーライダーにきびしく対処することを受け入れなくてはなりません。

年金には「マクロ経済スライド」が導入され、物価水準に応じて支給額が減額されるのですから、生活保護費をそのままにすればいずれ損得が逆転してしまいます。年金保険料を納めてこなかった高齢者の生活保護費を国民年金の水準以下にするのは、制度を守るために不可欠です。「そもそも低所得者の年金が低すぎる」との批判があるでしょうが、だとしたら１０００兆円もの借金を抱えた国がどうすればいいのかも合わせて提言すべきです。

しかしこうした事情は、母子家庭ではまったく異なります。高齢者の多くは健康上の理由で働くことができませんが、母子家庭の母親は20代から40代ですから、適切な支援があれば仕事をして収入を得、税金を納めることができます。子どもは学校を卒業して働きはじめ、やはり納税者になります。そのように考えれば、母子家庭の生活保護費を高齢者に合わせて引き下げることに合理的な根拠はありません。

母親と子どもにとっても、日本の社会と納税者にとっても、もっとも望ましいのは母子家庭の就業を支援し、所得を最大化するような制度です。そのためには保育園や託児所の充実などで、母子家庭の母親が独身女性や共働きの母親と同じように働ける環境をつくっていくことが必須です。

日本社会の大きな問題は、母子家庭の世帯収入が、児童扶養手当などを入れても一般世帯の3分の1程度しかないことです。一人あたりの平均所得の半分に満たない額が「貧困線」ですが、日本のひとり親世帯では、貧困線以下の割合が54・6％と先進国のなかで群を抜いています。それなのに、母子家庭の就労率は81・8％と、女性が働くのが当たり前のデンマークやスウェーデンより高いのです。これは、生活保護を受給すると子どもがいじめられると危惧しているからでしょう。

生活保護費の切り下げで母子家庭を罰してもなにひとついいことはなく、未婚率が上がって少子化がますます進むだけです。いま必要なのは、負のイメージしかない生活保護制度から母子家庭を切り離し、子どもを連れて離婚することがハンディキャップにならない社会をつくっていくことなのです。

待機児童問題で語られない「ゼロ歳児を預かる費用は月額40万円」

2018年5月、安倍首相の「側近」とされる政治家が、党員向けの会合で「『パパとママ、どっちが好きか』と聞けば、どう考えたって『ママがいい』に決まっている」と述べました。「生後3～4カ月で、『赤の他人』様に預けられることが本当に幸せなのだろうか」として、「待機児童ゼロ」を目指す政府方針について、「慌てずにゼロ歳から保育園に行かなくても、1歳や2歳から保育園に行けるスキームをつくっていくことが大事なのではないか」と発言したとのことです。

日本は「先進国の皮をかぶった身分制社会」なので、夫は会社に滅私奉公し、妻は子育てを「専業」にする性役割分業の抑圧が強く、それが日本人の幸福度を大きく毀損していることはまちがいありません。私自身も子どもをゼロ歳から保育園に預けていたので、「こんなに小さいときからかわいそう」という周囲の〝善意〟がどれほど残酷なものであるかも知っています。そんな日本社会の既得権層を代表する政治家（オヤジ）の、あいもかわらぬ無理解に絶望するひとは多いでしょう。

しかしここで冷静になって待機児童問題の対策を考えると、意外なことに、この「オヤジ」の発言はそれほどまちがっているわけではありません。

「男女平等」が徹底された北欧でも、出産後しばらくは家で子育てをし、保育施設に預けて共働きするのは1歳児からというのがふつうです。しかしこれは、「ママがいいに決まっている」からではありません。ゼロ歳児保育のコストがきわめて高いため、育休期間にそれまでの給与の10割を支給するなどして、家庭に保育を代替させているのです。

こうした事情は日本も同じで、もっとも手厚い保育が行なわれる認可保育所の場合、ゼロ歳児を預かる費用は東京都の平均で月額40万円、年480万円です。それに対して平均的な保育料は月額2万円強で、差額はすべて国や自治体が補塡しています。「子どもを産んだ女性に一律毎月30万円払ったほうがマシ」という異常なことになっているのです。

それにもかかわらず、待機児童は高コストのゼロ歳児に集中しています。しかしこれは日本の母親の就労意欲が高いからではなく、ゼロ歳で「保活」に失敗すると1歳児の選考で不利に扱われるからです。

こうして「保育園落ちた、日本死ね」になるわけですが、1人あたり月額40万円もの税を投入する施設を自治体がおいそれとつくれるわけはありません。こうして待機児童対策は口先だけのものとなり、親の不信感はますます募っていくことになります。

こんな理不尽な事態をなくすにはどうすればいいのでしょうか?

それは北欧のように、高コストのゼロ歳児の育児を家庭で行なうよう政策的に誘導するとともに、そこで浮いた予算と人手を使って、「保活」に必死にならなくても1歳児から確実に保育園に入れるようにすることです。同時に、利権のかたまりである認可保育園の改革も必要でしょう。

政治は結果責任です。前提がまちがっているとしても、そこから出てくる政策が現状をすこしでもよくするのなら、多少の忍耐も必要かもしれません。

参考文献：鈴木亘『経済学者、待機児童ゼロに挑む』新潮社

そしてすべてが善悪二元論になる

2018年9月、東京オリンピックを目指す女子体操選手へのパワハラ問題で、日本体操協会が大混乱しました。一連の経緯をざっとまとめると、こんな感じになるでしょう。

①女子代表候補選手を指導する男性コーチに対して、日本体操協会が、暴力行為（体罰）を理由に無期限の登録抹消処分を課した。

②当の女子体操選手が記者会見し、コーチの体罰を「指導」だと受け入れていたことを認めたうえで、調査の過程で体操協会の役員夫婦から、自分たちが運営するクラブに移籍するよう強要されたと「パワハラ」を告発した。

③体操協会が第三者委員会による調査を発表し、役員夫婦は職務一時停止の処分を受けた。

④民放テレビが、体操クラブの練習場で男性コーチが女子選手をはげしく平手打ちする「暴力映像」を公開。

⑤女子選手が、「自分を貶めるために無断で過去の映像を放映した」とテレビ局に抗議。

こうした出来事が2週間ほどのあいだに次々と起こるのですから、部外者にはなにがどうなっているかまったくわからず、だからこそひとびとの興味や関心を掻き立てたのでしょう。

ここで興味深いのは、事件の進展とともにメディアの態度が大きく変化したことです。

第一報では、同年春に世間を騒がせた大学アメフト部の事件と同様に、選手を暴力で支配しようとしたコーチに非難が集中しました。しかし「被害者」本人が記者会見で体操協会のパワハラを告発すると、こんどは協会を牛耳っている（とされた）元メダリストの夫婦に非難の矛先が向けられます。ところが「暴力映像」で体罰の実態が明らかになったとたん、「こんなコーチを擁護するのは洗脳されているからだ」と女子選手を批判する論調が出てくるのです。

ここからわかるのは、メディアの役割が「事実（ファクト）」を追求することではなく、読者や視聴者に事件をわかりやすく伝えることだという単純な「事実」です。

複雑な出来事を複雑なまま理解しようとすると、脳に負荷がかかって苦痛を感じます。こうしてひとは、善悪のはっきりした単純な物語だけをひたすら求めるようになります。このように考えれば、大衆メディアが善悪二元論になっていくのは宿命みたいなものです。

メディアの役割は「悪」を特定し、読者や視聴者を「悪」を叩くよう誘導することです。そうすると気分がよくなって、視聴率が上がったり部数が増えたりします。なぜなら、「悪」を叩くのは「善」に決まっているから。――これがメディア商売の基本です。

今回の事件の背景には、体罰による「指導」を容認する日本のスポーツ界の軍隊的な体質があり、それはパワハラが蔓延する学校や会社も同じです。なぜこんなことになるかというと、日本社会が「先進国のふりをした前近代的な身分制社会」だからです。

新卒一括採用という軍隊の徴兵みたいなことをやっているのは、いまでは世界で日本だけです。日本人は「右」も「左」も軍隊が大好きで、だからこそ自分たちにぴったりの抑圧的な組織や社会をつくり出すのです。

もっともこんな「難しい」話をしても面白くもなんともないので、誰も相手にしてくれないでしょうけど。

令和の日本の選択

金融庁が老後に備えて資産形成を促した報告書が、「年金だけでは老後の生活費が２０００万円不足する」と国民を脅したとして大炎上し、報告書そのものが「存在しなくなる」という前代未聞の珍事が起きました。

この話の奇妙なところは、報告書にそんなことは書いていないことです。

総務省の家計調査では、平均的な高齢者世帯は年金などの収入が約21万円なのに対し支出が約26万円で、この不足分を65歳の平均的な金融資産２２５２万円から取り崩しています。この現状を考えれば、現役世代は積み立て運用などで２０００万円程度の資産形成を目指したほうがいい。——報告書の趣旨は要するにこれだけで、「２０００万円ないと生きていけない」という話とはずいぶんちがいます。

それにもかかわらず大騒ぎになったのは、報告書の「平均」が高すぎるからでしょう。持ち家で金融資産２０００万円以上保有している高齢世帯は全体の3割で、「平均以下」とされた残りの7割が「自分たちは生きていけないのか」と不安に駆られたのです。

この出来事からわかるのは、いまや「年金」は最大の政治的タブーだという現実です。

資産調査によると70歳以上の約3割、700万人が金融資産を保有していません。じゅうぶんな金融資産を持っていない層も含めれば、高齢者の半分以上が老後の生活を年金に依存しているのが実態です。このひとたちは年金が減額されると生きていけなくなってしまうので、ちょっとした風説にも過敏に反応してしまいます。

政治家も官僚も、今後は年金について当たり障りのないことしかいわなくなるでしょう。そうやって現実から目を背けているうちに事態が改善するならそれでもいいでしょうが、少子高齢化はますます進み問題は深刻になるばかりです。

その結果、いったい何が起きるのでしょうか。

ひとつは、「マクロ経済スライド」の仕組みによって、年金制度が破綻しないよう受給額が減らされていくことです。これが「100年安心」で、支払う年金をいくらでも減額できるなら制度そのものは「安心」にちがいありません。もっとも、年金で暮らしていけない膨大な貧困高齢者が街にあふれることになりますが。

「100歳まで（年金で）安心して暮らしたい」というなら、年金を減額することはできなくなります。その場合は支給総額がどんどんふくらんで、やがて財政は行き詰まるでしょう。そうなると物価が大きく上昇するハイパーインフレが起き、国民は「インフレ税」の重い負担に苦しむことになりますが、それによって国家の債務は軽くなってきます。

令和の日本はこの二択で、どちらになるかはわかりませんが、いずれにしても大きな混乱は避けられそうもありません。そうなると個人にできることは、できるだけ多くの資産を保有して「衝撃」に備えることです。こうして話は金融庁の「幻の報告書」に戻っていきます。

ほんとうのことを否定してもろくなことにはなりません。自助努力を放棄して国に頼るだけでは、「安心」な老後は手に入らないでしょう。もちろんこんなこと、まともなひとならみんな気づいていると思いますが。

Part 5

日本人の３人に１人は
日本語が読めない

ＰＩＡＡＣ（ピアック）は先進国の学習到達度調査（ＰＩＳＡ〔ピザ〕）の大人版で、16歳から65歳を対象として、仕事に必要な「読解力」「数的思考力」「ＩＴを活用した問題解決能力（ＩＴスキル）」を測定する国際調査です。ＯＥＣＤ加盟の先進国を中心に、24カ国・地域の約15万７０００人を対象に２０１１～12年に実施されました。日本では国立教育政策研究所によって、「国際成人力調査」として２０１３年に測定結果の概要がまとめられています。

ヨーロッパでは若者を中心に高い失業率が問題になっていますが、その一方で経営者からは、「どれだけ募集しても必要なスキルを持つ人材が見つからない」との声が寄せられていました。プログラマーを募集したのに、初歩的なプログラミングの知識すらない志望者しかいなかったら採用のしようがありません。そこで、失業の背景には仕事とスキルのミスマッチがあるのではないかということになり、実際に調べてみたのです。

私がこの調査に興味を持ったのは、その結果をどのように分析しても、次のような驚くべきファクトを受け入れざるを得ないからです。

①日本人のおよそ3分の1は日本語が読めない。

②日本人の3分の1以上が小学校3～4年生以下の数的思考力しかない。
③パソコンを使った基本的な仕事ができる日本人は1割以下しかいない。
④65歳以下の日本の労働力人口のうち、3人に1人がそもそもパソコンを使えない。

ほとんどのひとはこれをなにかの冗談だと思うでしょうが、日本においてＰＩＡＡＣを主導した文部科学行政の幹部の方からメールをいただいたことで、私の理解がまちがっていないことが確認できました。苦労して大規模な国際調査を行なったにもかかわらず、ほとんど話題にならないことに落胆していたというこの方は、ＰＩＡＡＣが「再発見」され、評価されたことがとてもうれしかったそうです。

ここからわかるのは、日本人の読解力や数的思考力、ＩＴスキルがこの程度のものであることが（一部の）教育関係者のあいだでは常識であり、それでなんの問題もないと考えられているらしいことです。なぜなら、この惨憺(さんたん)たる結果にもかかわらず、ほぼすべての分野で日本人の成績は先進国で1位だったからです。――これがもうひとつの驚くべきファクトです。

ではこれから、ＰＩＡＡＣの問題例を具体的に見ていきましょう。

日本人の5人に1人しか文章を正しく理解できない

まずは【図表4】の問題を見てください。PIAACの「読解力」でレベル1の問題例です（実際の問題は公表されていません）。

「ジェネリック医薬品　スイスには不向き」という見出しで、記事とともにジェネリック医薬品の国際市場シェアのリストが掲載されています。「ジェネリック医薬品が医薬品総売り上げの10％以上を占めている国は、何か国ですか」と問われ、ヨーロッパ14カ国とアメリカにおけるジェネリック医薬品のシェアが高い順に並べられています。

ほとんどのひとが「バカバカしい」と思ったでしょう。たんにリストの上から10％以上の国を数えるだけなのですから（正解は5カ国）。

日本では、このレベルの読解力問題に正答できないひとは0・6％でおよそ170人に1人です。しかし各国別の正答分布を見ると（【図表5】参照）、「レベル1未満」のOECD平均は3・3％（30人に1人）で、フランスは5・3％、イタリアは5・5％、スペインでは7・2％もいます。これらの国では、成人のおよそ15人から20人に1人がこのレベルの読解力を持っていないことになります。――「（外国語話者など）言語上の問題」「非識字（難読症）」「知的障がい・精神障がい」などで調査に参加できないひ

【図表4】「読解力」レベル1の問題例

ジェネリック医薬品が医薬品総売り上げの
10%以上を占めている国は、何か国ですか？

ジェネリック医薬品
スイスには不向き

理論上は、スイスはジェネリック医薬品の理想的市場である。ジェネリック医薬品とは、ブランド名のついた薬と同じ製法で製造されるが、製法の特許権が消滅したため、どの製薬会社でも生産できる医薬品のことである。ジェネリック医薬品も効き目は全く変わらない。

しかし、ブランド名がないために価格が安くなっている（少なくとも25%安い）。医療費等が急増し、政府もジェネリック医薬品の使用を繰り返し呼びかけているので、売上はうなぎ昇りに増えると思われるかもしれない。ノバルティスのような巨大企業がトン単位でジェネリック医薬品を生産しており、昨年の売り上げは15億スイスフランに達しているのでなおさらである。

さて、こうした状況にもかかわらず、スイスのジェネリック医薬品は、全医薬品売上のたった3.1%（約45億フラン）を占めるにすぎない。なぜか。その理由の第一は、心理的、金銭的理由の両方から、先発の薬を処方したがる医師が多く、また薬剤師もそれを売りたがるためだ。また妙なことに、病院は経費の削減につながるにもかかわらず、ほとんどジェネリック医薬品を使わない。

最後の理由は、患者が、使い慣れた薬とは違う色をした薬に不信感を持つことである。

医薬品市場
ジェネリック医薬品
国内市場シェア

	%
デンマーク	22.0
ドイツ	16.1
オランダ	14.6
アイルランド	12.2
アメリカ	10.8
オーストリア	8.7
フィンランド	7.8
ベルギー	5.9
スウェーデン	4.2
ギリシャ	4.0
スイス	3.1
ポルトガル	2.9
フランス	2.9
スペイン	1.3
イタリア	0.8

出典：HandelsZeitung

【図表4】～【図表14】：『成人スキルの国際比較 OECD国際成人力調査（PIAAC）報告書』
国立教育政策研究所 編（明石書店）より作図

【図表5】 読解力の習熟度レベル別の成人の分布 (単位：%)

OECD加盟国	レベル1未満	レベル1	レベル2	レベル3	レベル4	レベル5	欠損
オーストラリア	3.1	9.4	29.2	39.4	15.7	1.3	1.9
オーストリア	2.5	12.8	37.2	37.3	8.2	0.3	1.8
カナダ	3.8	12.6	31.7	37.3	12.8	0.9	0.9
チェコ	1.5	10.3	37.5	41.4	8.3	0.4	0.6
デンマーク	3.8	11.9	34.0	39.9	9.6	0.4	0.4
エストニア	2.0	11.0	34.3	40.6	11.0	0.8	0.4
フィンランド	2.7	8.0	26.5	40.7	20.0	2.2	0.0
フランス	5.3	16.2	35.9	34.0	7.4	0.3	0.8
ドイツ	3.3	14.2	33.9	36.4	10.2	0.5	1.5
アイルランド	4.3	13.2	37.6	36.0	8.1	0.4	0.5
イタリア	5.5	22.2	42.0	26.4	3.3	0.1	0.7
日 本	0.6	4.3	22.8	48.6	21.4	1.2	1.2
韓 国	2.2	10.6	37.0	41.7	7.9	0.2	0.3
オランダ	2.6	9.1	26.4	41.5	16.8	1.3	2.3
ノルウェー	3.0	9.3	30.2	41.6	13.1	0.6	2.2
ポーランド	3.9	14.8	36.5	35.0	9.0	0.7	0.0
スロバキア	1.9	9.7	36.2	44.4	7.3	0.2	0.3
スペイン	7.2	20.3	39.1	27.8	4.6	0.1	0.8
スウェーデン	3.7	9.6	29.1	41.6	14.9	1.2	0.0
アメリカ	3.9	13.6	32.6	34.2	10.9	0.6	4.2
加盟国の地域							
フランドル(ベルギー)	2.7	11.3	29.6	38.8	11.9	0.4	5.2
イングランド(イギリス)	3.3	13.1	33.1	36.0	12.4	0.8	1.4
北アイルランド(イギリス)	2.5	14.9	36.2	34.3	9.4	0.5	2.2
イングランド/北アイルランド(イギリス)	3.3	13.1	33.2	35.9	12.3	0.8	1.4
OECD平均	**3.3**	**12.2**	**33.3**	**38.2**	**11.1**	**0.7**	**1.2**
非加盟国							
キプロス	1.6	10.3	33.0	32.1	5.2	0.2	17.7
ロシア	1.6	11.5	34.9	41.2	10.4	0.4	0.0

注：「欠損」には、言語上の問題、非識字及び知的障がい・精神障がいのため、調査に参加できなかった成人が含まれる。
出所：OECD（2013a）Table A2.1.

とは除かれており、【図表5】では「欠損（missing）」と扱われています。

問題のレベルが上がると、結果はさらに驚くべきものになります。

レベル2の読解力の問題例では、「市民マラソン・ウォーキング大会」のホームページから開催者の電話番号を調べるために「問い合わせ先」のリンクをクリックすることが求められます。これに正答するには、問題文を正しく読めることと、ホームページのルール（電話番号は「問い合わせ先」からリンクされている）を知っている必要があります。

このレベルの問題に正答できない成人は、日本では4・9％（20人に1人）ですが、ＯＥＣＤ平均で15・5％、およそ6人に1人です。イタリアは27・7％、スペインは27・5％と3〜4人に1人です。

【図表6】はレベル3の問題例で、図書館のホームページの検索結果から「『エコ神話』の著者は誰ですか」に答えるよう求められます。あまりに簡単だと思うでしょうが、問題文を正しく読むことのほかに、「検索結果をスクロールし、そこに該当するものがなければ『次へ』の表示をクリックする」というホームページの使い方を知っていなければなりません。

レベル3の問題例は「解答者に対し、一つ以上の情報を特定し、解釈又は評価することを要求する」とされており、事務系の仕事では最低限のスキルです。このレベルの問

【図表6】「読解力」レベル3の問題例

図書検索結果の中から、
次の質問の答えをハイライトしてください。
「エコ神話」の著者は誰ですか。

遺伝子組み換え食品　検索

遺伝子組み換え食品の検索結果 1-5

≪ 最初へ　＜前へ 1 2 次へ＞　最後へ≫

□ 1.遺伝子組み換え食品
ジェン・グリーン

遺伝子組み換え（GM）をめぐる問題について解説するとともに、GM食品の特性やGMの機能について考察し、この新しい科学に対する賛否の議論を検証する。…
ー以下の見出しを含む。GM食品とは?、植物と動物の成長のしかた、植物や動物の変化、近代農業、GMは何が違うか?、GMはどのような仕組みなのか?

請求記号：363.192グリ
出版年：2004
検索ワード：食品（3）、遺伝的（2）、組み換え（2）、食物（3）、遺伝子の（1）
シリーズ名：現代の環境

解答者は「2」というページ番号か「次へ」という表示をクリックして、
「エコ神話」が掲載されている2ページ目にアクセスし、
書名の下に示された著者名を見つけなければならない。

題に正答できない成人は日本で27・7％で、ここから「日本人のおよそ3分の１は日本語が読めない」としました。

それぞれの本には１５０字程度の概要が書かれており、レベル４の問題例では、「遺伝子組み換え食品に賛成の主張と反対の主張のいずれも信頼できないと主張しているのはどの本ですか」と質問されます。短文を読むだけの問題ですが、日本では８割ちかい（76・３％）成人がこのレベルの読解力を持っていません。

レベル４の問題例に正答するには、「微妙なエビデンスに基づく主張や、説得的議論の関係を解釈し、評価するために、テキストの中から、一つ以上の明白な、中心的でない概念を特定し、理解すること」が必要とされます。文学作品やビジネス書、専門書を読む際の「読解力」はこのレベルを指すのでしょう。だとすれば、「日本人の５人に１人しか文章を正しく理解できない」ということになります。

レベル４以上の読解力を持つのは、ＯＥＣＤの平均で11・８％で、およそ10人に１人です。フランス、オーストリア、アイルランドなど9カ国が10％を下回っており、スペインは４・７％、イタリアは３・４％と「文章を正しく理解できる」成人が20人に１人もいません。

表計算ソフトでグラフをつくれるのも5人に1人

【図表7】は「数的思考力」でレベル1の問題例です。ここでは「105個入　黒糖まんじゅう」の表示がある箱が示され、何段詰めになっているかが問われます。

この問題に正答するには、一部が紙に隠れていてもまんじゅうは7×5列で1段に35個入っていることと、105を35で割ることで段の数が計算できることを理解できなくてはなりません。暗算で割り算ができなくても、35を2倍、3倍とすることで正解にたどり着けるでしょう（正解は3段）。

このレベルの問題に正答できないのは日本では1・2%でおよそ100人に1人ですが、OECD平均は5・0%で20人に1人、アメリカとフランスは9・1%、スペインは9・5%で、およそ10人に1人がレベル1の数的思考力に達しません（【図表8】参照）。

レベル2の数的思考力の問題例は出張費の計算で、自動車の走行距離1キロあたりに35円を掛け、4000円の食費を加えることを求められます。

この基本的な計算ができない成人は、OECD平均で19・0%、およそ5人に1人です（日本は8・2%）。フランス28・0%、アメリカ28・7%、スペイン30・6%、イ

【図表７】「数的思考力」レベル1の問題例

黒糖まんじゅうの箱の写真を見てください。
数字キーを使い、次の質問の答えを入力してください。
1箱に全部で105個の黒糖まんじゅうが入っています。
この黒糖まんじゅうは、1箱の中に何段重ねで箱詰めされていますか。

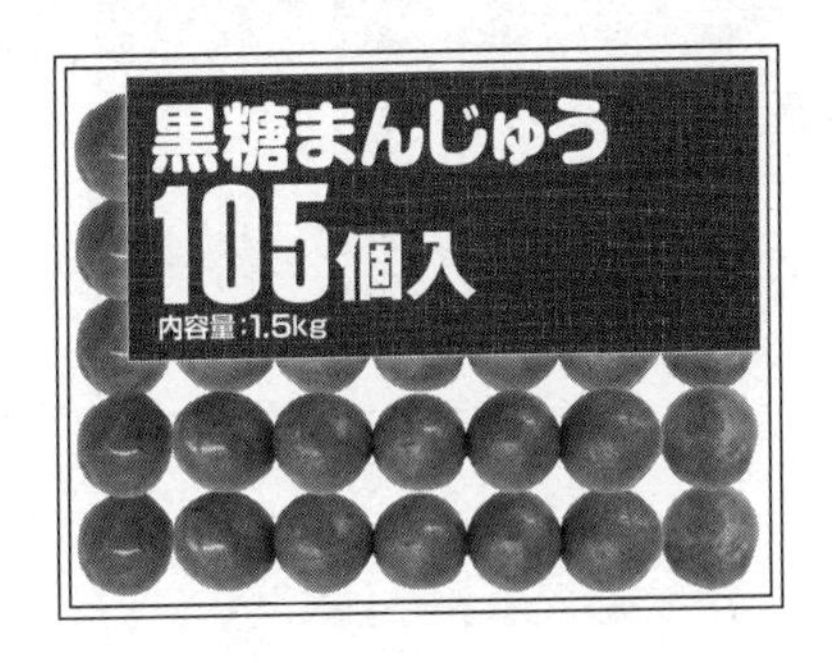

【図表8】 数的思考力の習熟度レベル別の成人の分布 (単位:%)

OECD加盟国	レベル1未満	レベル1	レベル2	レベル3	レベル4	レベル5	欠損
オーストラリア	5.7	14.4	32.1	32.6	11.7	1.5	1.9
オーストリア	3.4	10.9	33.1	37.2	12.5	1.1	1.8
カナダ	5.9	16.4	31.9	32.4	11.3	1.3	0.9
チェコ	1.7	11.1	34.7	40.4	10.6	0.9	0.6
デンマーク	3.4	10.8	30.7	38.0	14.9	1.7	0.4
エストニア	2.4	11.9	36.2	38.0	10.4	0.8	0.4
フィンランド	3.1	9.7	29.3	38.4	17.2	2.2	0.0
フランス	9.1	18.9	33.8	29.0	7.8	0.5	0.8
ドイツ	4.5	13.9	31.0	34.9	13.0	1.2	1.5
アイルランド	7.1	18.1	38.0	28.8	7.0	0.6	0.5
イタリア	8.0	23.7	38.8	24.4	4.3	0.2	0.7
日本	1.2	7.0	28.1	43.7	17.3	1.5	1.2
韓国	4.2	14.7	39.4	34.6	6.6	0.2	0.3
オランダ	3.5	9.7	28.2	39.4	15.6	1.3	2.3
ノルウェー	4.3	10.2	28.4	37.4	15.7	1.7	2.2
ポーランド	5.9	17.6	37.7	30.5	7.7	0.7	0.0
スロバキア	3.5	10.3	32.2	41.1	11.8	0.8	0.3
スペイン	9.5	21.1	40.1	24.5	4.0	0.1	0.8
スウェーデン	4.4	10.3	28.7	38.0	16.7	1.9	0.0
アメリカ	9.1	19.6	32.6	25.9	7.8	0.7	4.2
加盟国の地域							
フランドル(ベルギー)	3.0	10.4	27.7	36.8	15.4	1.6	5.2
イングランド(イギリス)	6.4	17.8	33.3	29.8	10.4	0.9	1.4
北アイルランド(イギリス)	5.6	18.7	35.9	29.0	7.8	0.7	2.2
イングランド/北アイルランド(イギリス)	6.3	17.8	33.4	29.8	10.3	0.9	1.4
OECD平均	**5.0**	**14.0**	**33.0**	**34.4**	**11.4**	**1.1**	**1.2**
非加盟国							
キプロス	3.4	12.1	31.8	28.4	6.3	0.3	17.7
ロシア	2.0	12.1	39.7	38.1	7.7	0.3	0.0

注：「欠損」には、言語上の問題、非識字及び知的障がい・精神障がいのため、調査に参加できなかった成人が含まれる。
出所：OECD（2013a）Table A2.5.

タリア31・7％と、これらの国では成人のほぼ3人に1人が掛け算と足し算を組み合わせる問題に対処できません。

【図表9】は立体図形の展開で、レベル3の数的思考力の問題例です。Aは明らかに形がちがうし、Bは面の数が足りません。残りはCとDで、回転させればどちらも同じですが、Dにだけ屋根に半円形の取っ手がついています（正解はDですが、形はCの方が似ているように見えます）。

レベル3の問題例は「複数のステップが必要であり、問題解決のストラテジーや適切な処理の選択が求められる」事務系の仕事では必須のスキルですが、別の説明では「小学校5年生程度の問題」ともされています。このレベルに達しているのは日本では62・5％しかおらず、「日本人の3分の1以上が小学校3〜4年生以下の数的思考力しかない」としました。OECD平均は46・9％で、イタリア（28・9％）とスペイン（28・6％）は3割を下回っています。

【図表10】は数的思考力のレベル4の問題例で、1960年から2005年までのメキシコの男女の教育水準を示したグラフが提示され、「1970年には、6年を超える学校教育を受けたメキシコ人男性は約何パーセントでしたか」と問われます。

男女2つのグラフから男性を選び、5つの調査年から1970年を探し、「学校教育を受けていない」「6年以下の学校教育」「6年を超える学校教育」から該当するものを

【図表9】「数的思考力」レベル3の問題例

4つの図のうち、
組み立てると
イラストの箱に
一番近いものは
どれですか。

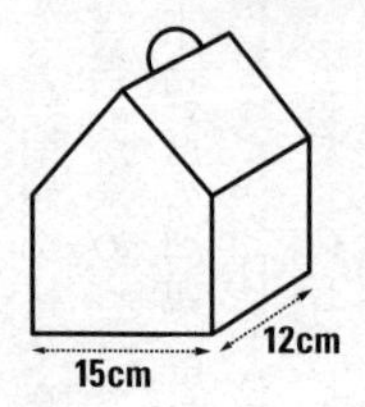

（略図の縮尺は正確ではありません）

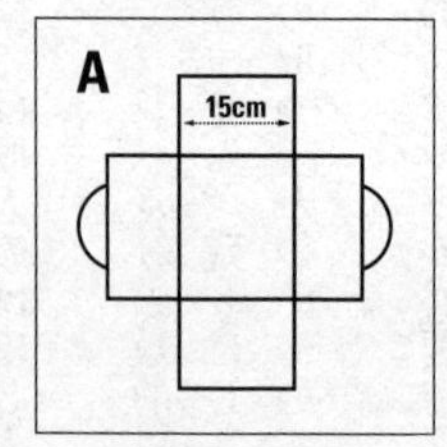

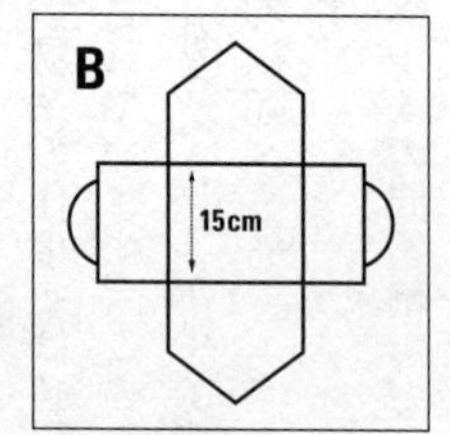

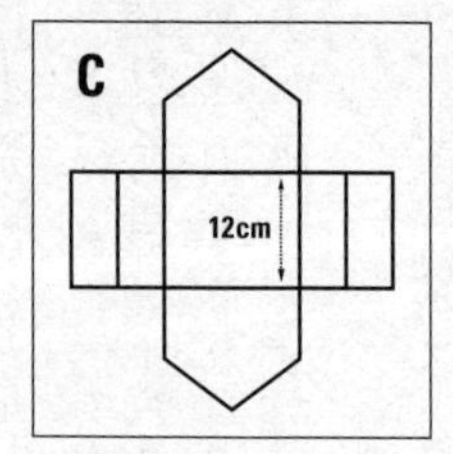

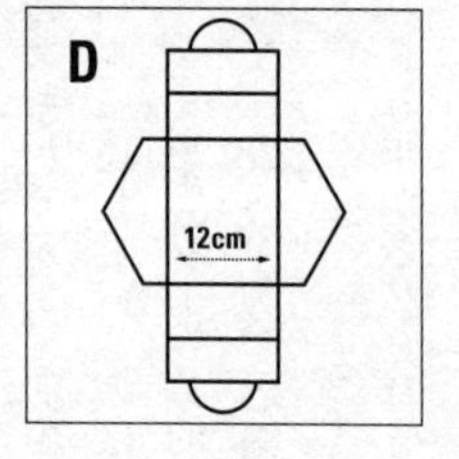

（答え：D）

【図表10】「数的思考力」レベル４の問題例

以下の２つのグラフは、1960 年から 2005 年までの
メキシコ人の男女の教育水準を示しています。
1970 年には、６年を超える学校教育を受けた
メキシコ人男性は約何パーセントでしたか。

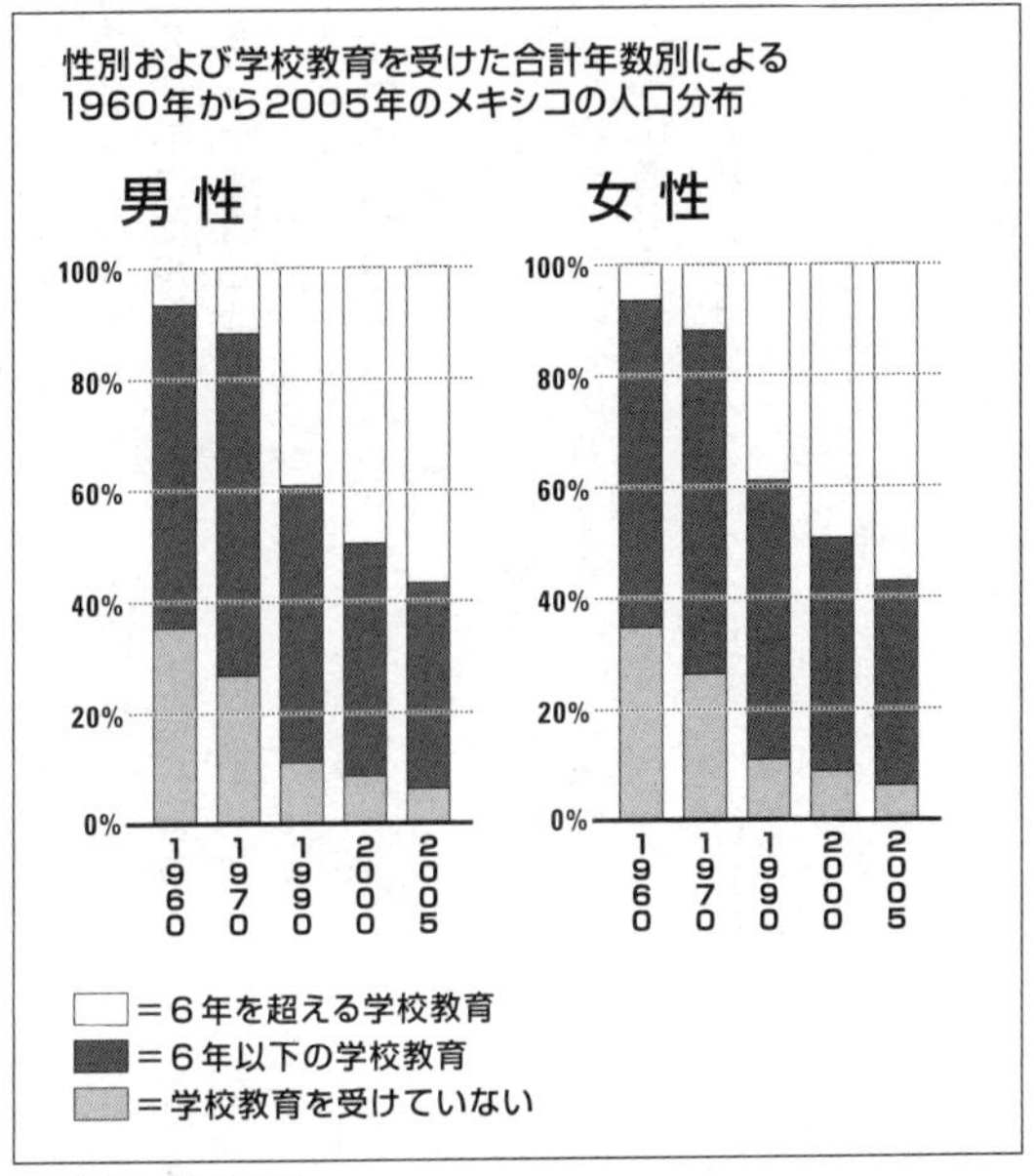

（答え：約10%）

見つけることが要求されますが、この単純なグラフの読み取りができる成人は日本では18・8％しかいません。OECD平均は12・5％、イタリア（4・5％）とスペイン（4・1％）では22～24人に1人です。

データの数字を読み取り、エクセルなどの表計算ソフトでグラフをつくるスキルを持つのは日本では5人に1人、先進国では8～10人に1人ということになります。

先進国の平均よりはるかに低い日本人のITリテラシー

【図表11】は「ITスキル（ITを活用した問題解決能力）」でレベル1の問題例で、複数のメールのなかから「出席できる」「出席できない」と通知したものをそれぞれのフォルダに移すことを求められます。

この基本的な作業ができない解答者は日本では7・6％で、OECD平均は12・3％。「レベル1未満」がもっとも多いのはアメリカ（15・8％）で、カナダ（14・8％）、デンマーク（13・9％）と続きます（**【図表12】**参照。フランス、イタリア、スペインはITスキルの試験に不参加）。

【図表13】はITスキルのレベル3の問題例で、会議室の予約を処理します。

メールには予約に無関係なもの（たんなる感謝）もあれば、会議室の空き状況を確認

【図表 11】「ITスキル」レベル1の問題例

あなたは大きなパーティーを企画しており、
電子メールで招待状を送りました。
あなたは出席できる人とできない人を
確認したいと考えています。
これまでに受信した返事を整理してください。
返事を整理したら、「次へ」をクリックして進んでください。

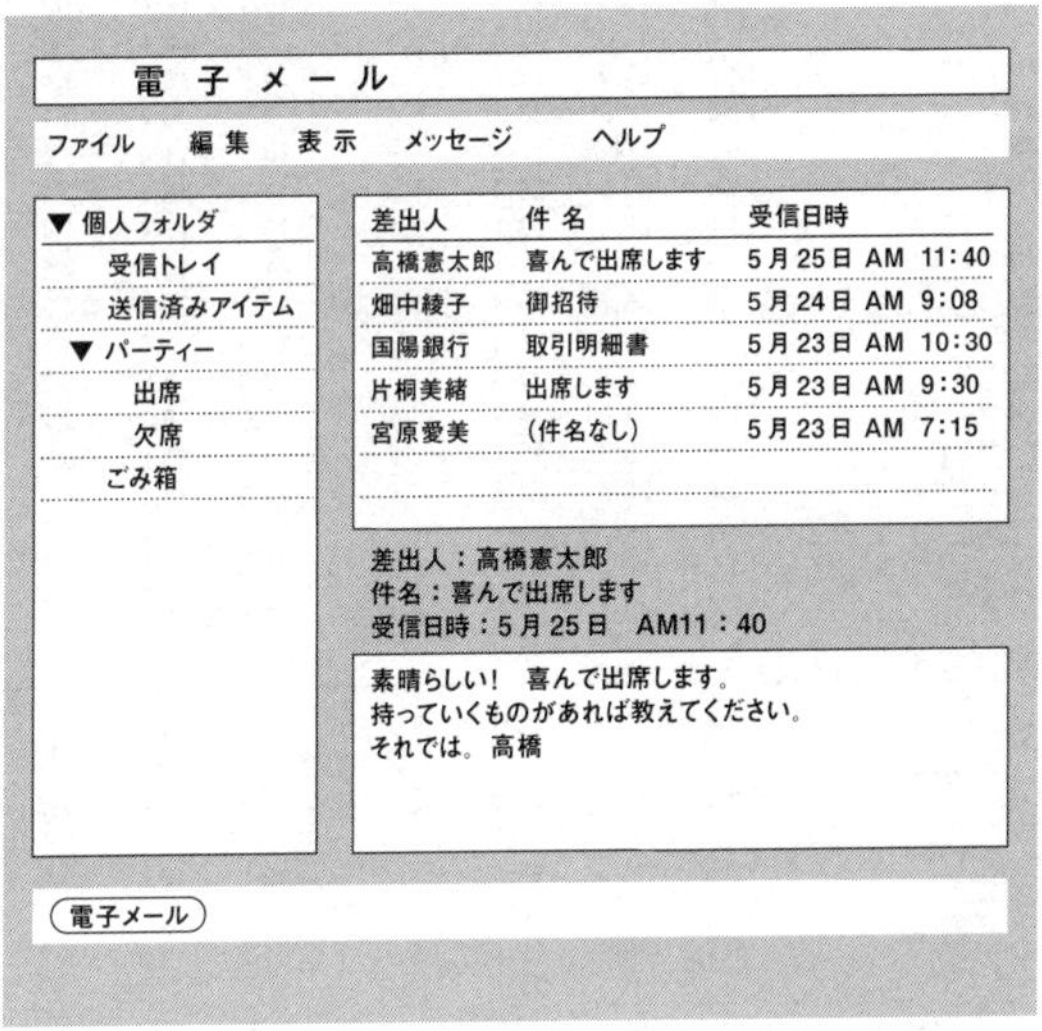

電子メール

ファイル　編集　表示　メッセージ　ヘルプ

▼ 個人フォルダ
- 受信トレイ
- 送信済みアイテム
- ▼ パーティー
  - 出席
  - 欠席
- ごみ箱

差出人	件名	受信日時
高橋憲太郎	喜んで出席します	5月25日 AM 11:40
畑中綾子	御招待	5月24日 AM 9:08
国陽銀行	取引明細書	5月23日 AM 10:30
片桐美緒	出席します	5月23日 AM 9:30
宮原愛美	（件名なし）	5月23日 AM 7:15

差出人：高橋憲太郎
件名：喜んで出席します
受信日時：5月25日　AM11：40

素晴らしい！　喜んで出席します。
持っていくものがあれば教えてください。
それでは。高橋

電子メール

【図表12】 16〜65歳の成人のITを活用した問題解決能力の習熟度レベル別の分布（単位：%）

OECD加盟国	習熟度レベル レベル1未満	レベル1	レベル2	レベル3	コンピュータ経験なし	コンピュータ調査拒否	ICTコア不合格	欠損
オーストラリア	9.2	28.9	31.8	6.2	4.0	13.7	3.5	2.7
オーストリア	9.9	30.9	28.1	4.3	9.6	11.3	4.0	1.8
カナダ	14.8	30.0	29.4	7.1	4.5	6.3	5.9	1.9
チェコ	12.9	28.8	26.5	6.6	10.3	12.1	2.2	0.6
デンマーク	13.9	32.9	32.3	6.3	2.4	6.4	5.3	0.4
エストニア	13.8	29.0	23.2	4.3	9.9	15.8	3.4	0.5
フィンランド	11.0	28.9	33.2	8.4	3.5	9.7	5.2	0.1
フランス	---	---	---	---	10.5	11.6	6.0	---
ドイツ	14.4	30.5	29.2	6.8	7.9	6.1	3.7	1.5
アイルランド	12.6	29.5	22.1	3.1	10.1	17.4	4.7	0.6
イタリア	---	---	---	---	24.4	14.6	2.5	---
日本	7.6	19.7	26.3	8.3	10.2	15.9	10.7	1.3
韓国	9.8	29.6	26.8	3.6	15.5	5.4	9.1	0.3
オランダ	12.5	32.6	34.3	7.3	3.0	4.5	3.7	2.3
ノルウェー	11.4	31.8	34.9	6.1	1.6	6.7	5.2	2.2
ポーランド	12.0	19.0	15.4	3.8	19.5	23.8	6.5	0.0
スロバキア	8.9	28.8	22.8	2.9	22.0	12.2	2.2	0.3
スペイン	---	---	---	---	17.0	10.7	6.2	66.2
スウェーデン	13.1	30.8	35.2	8.8	1.6	5.7	4.8	0.1
アメリカ	15.8	33.1	26.0	5.1	5.2	6.3	4.1	4.3
加盟国の地域								
フランドル（ベルギー）	14.8	29.8	28.7	5.8	7.4	4.7	3.5	5.2
イングランド（イギリス）	15.1	33.8	29.3	5.7	4.1	4.6	5.8	1.6
北アイルランド（イギリス）	16.4	34.5	25.0	3.7	10.0	2.3	5.8	2.2
イングランド/北アイルランド（イギリス）	15.1	33.9	29.1	5.6	4.3	4.5	5.8	1.6
OECD平均	**12.3**	**29.4**	**28.2**	**5.8**	**9.3**	**10.2**	**4.9**	**1.5**
非加盟国								
キプロス	---	---	---	---	18.4	18.0	1.9	---
ロシア	14.9	25.6	20.4	5.5	18.3	12.8	2.5	0.0

注：「欠損」には、言語上の問題、非識字及び知的障がい・精神障がいのため、調査に参加できなかった成人が含まれる。キプロス、フランス、イタリア、スペインは、ITを活用した問題解決能力分野に参加していない。
出所：OECD（2013a）Table A2.10a.

【図表13】「ITスキル」レベル３の問題例

あなたは、仕事で会議室の予約申込みを処理します。
あなたが受信した3月16日分の申込みに関する
メールをすべて確認してください。
会議室予約システムを使い、これらの会議申込みを、
可能な限り登録してください。
すべての申込みを処理したら、「次へ」をクリックし
て進んでください。

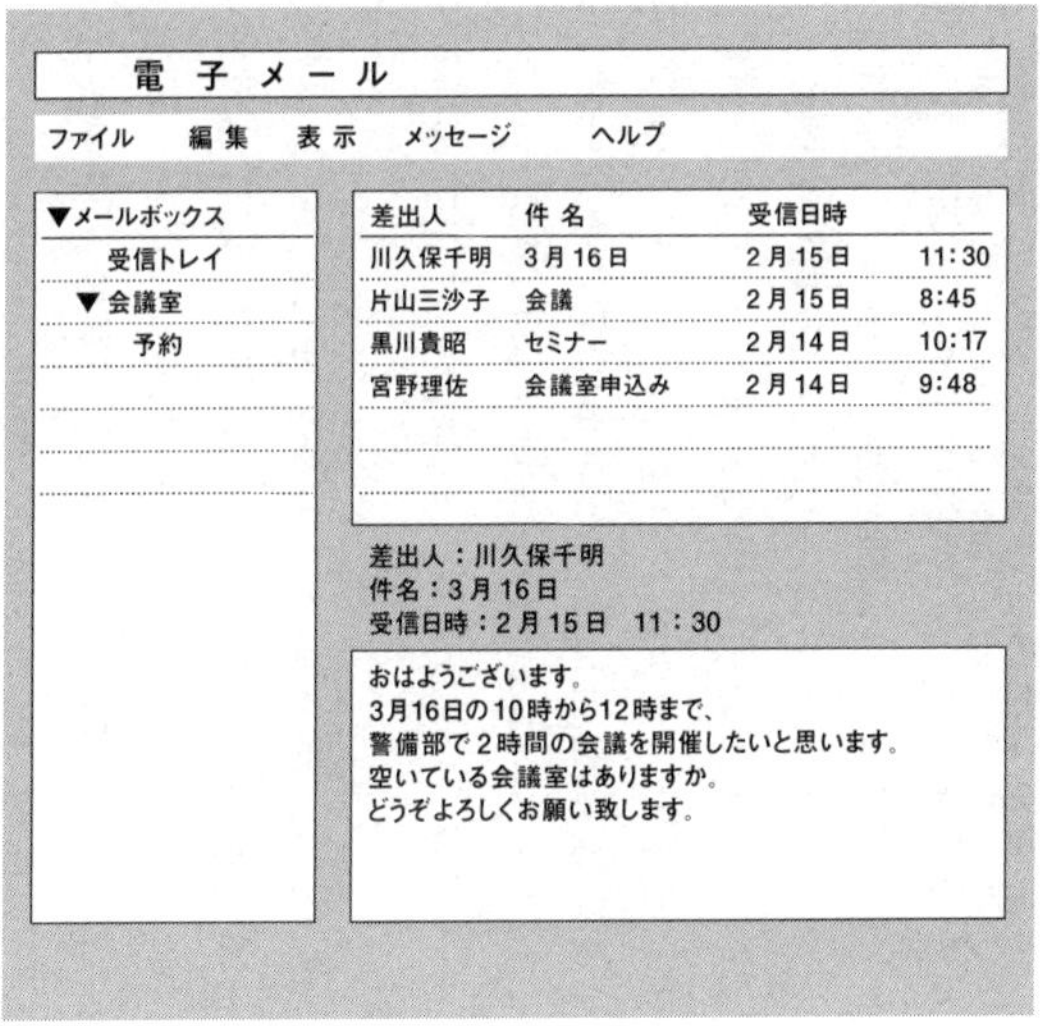

電子メール

ファイル　編集　表示　メッセージ　ヘルプ

▼メールボックス
受信トレイ
▼会議室
予約

差出人	件名	受信日時	
川久保千明	3月16日	2月15日	11:30
片山三沙子	会議	2月15日	8:45
黒川貴昭	セミナー	2月14日	10:17
宮野理佐	会議室申込み	2月14日	9:48

差出人：川久保千明
件名：3月16日
受信日時：2月15日　11：30

おはようございます。
3月16日の10時から12時まで、
警備部で2時間の会議を開催したいと思います。
空いている会議室はありますか。
どうぞよろしくお願い致します。

するものもあります。4件のメールのうち予約申込みは3件で、午前、昼、昼から夕方にまたがるものです。

解答者は4つの会議室の空き状況を確認し、午前に1件、昼に1件入れて、残りの1件には利用可能な会議室がないことを返信します。

これはパソコンを使う職場では最低限のスキルだと思いますが、日本ではわずか8・3%しかクリアできていません。「パソコンを使った基本的な仕事ができる日本人は1割以下しかいない」のです。

OECD平均は5・8%で、もっとも正答率が低いのはスロバキア（2・9%）、次いでアイルランド（3・1%）、韓国（3・6%）となります。

こうして見ると日本人のITスキルは高そうですが、問題なのは「コンピュータ経験なし」が10・2%（OECD平均9・3%）、「コンピュータ調査拒否」が15・9%（同10・2%）、ICTコア（コンピュータの導入試験）不合格が10・7%（同4・9%）もいることです。合わせて36・8%でOECD平均よりはるかに高く、韓国（30・0%）、アイルランド（32・2%）、スペイン（33・9%）、スロバキア（36・4%）、イタリア（41・5%）、ポーランド（49・8%）とともに、参加国のなかでもっともITリテラシーの低いグループに入っています。「65歳以下の日本の労働力人口のうち、3人に1人がそもそもパソコンを使えない」のです。

イタリアやスペインよりも低い日本の労働生産性

ＯＥＣＤの平均をもとにＰＩＡＡＣの結果を要約すると、次のようになります。

①先進国の成人の約半分（48・8％）はかんたんな文章が読めない。
②先進国の成人の半分以上（52・0％）は小学校3～4年生以下の数的思考力しかない。
③先進国の成人のうち、パソコンを使った基本的な仕事ができるのは20人に1人（5・8％）しかいない。

「日本人の3人に1人は日本語が読めない」としても、それでも先進国のなかではきわめて優秀です。しかし、データの詳細を見るとこれで喜んでいるわけにはいきません。

読解力と数的思考力で日本はたしかに1位ですが、年齢別の得点を見ると、16～24歳の数的思考力ではオランダとフィンランドに抜かれて3位に落ちます。ＩＴスキルでは、パソコンを使えず紙で解答した者を加えた総合順位ではＯＥＣＤ平均をわずかに上回る10位、16～24歳では平均をはるかに下回る14位まで落ちてしまいます。

対照的なのが韓国で、全体の順位はＯＥＣＤ平均以下で低迷していますが、これは中高年の得点が低いからで、16~24歳では得点は大きく上がり、読解力で4位、数的思考力で5位、ITスキルでは1位と日本の若者をはるかに上回っています。

わずか1世代で知能が劇的に向上するはずはありませんから、これは明らかに教育の成果でしょう。なぜ隣国とこれほど大きな差がついたのか、日本の教育業界は国民（納税者）に対して重い説明責任を負っています。

しかし、より深刻な問題はほかにあります。

日本経済のいちばんの問題は労働生産性が低いことで、日本の労働者が生み出す1人あたりの利益（付加価値）は8万4027ドル（約924万円）で、アメリカの労働者（12万7075ドル／約1398万円）の7割以下しかありません。OECD加盟36カ国中21位、先進7カ国のなかではデータが取得可能な1970年以降、ずっと最下位です（2018年）。

知識社会では知的な職業スキルが高いほど生産性が高くなるはずですが、日本はまったくそうなっていません。OECDによるPIAAC報告書には「イタリアとスペインは大卒者の得点が日本の高卒に及ばない」と記されていますが、そのイタリアは労働生産性で11位（10万4179ドル）、スペインは16位（9万4220ドル）で日本よりずっと順位が上なのです。

OECDの報告書は、PIAACの得点が生産性に反映されない理由を、日本では労働者の高い能力が仕事で活かされていないからだとしています。男女の社会的な性差を示すジェンダーギャップ指数で日本は世界最底辺の１２１位ですが、ＯＥＣＤの分析でも、女性のスキルを活用できていないことが男女の収入の大きな差につながっているとされています。

ここからわかるのは、日本人はたしかに知的には優秀かもしれませんが、その能力を無駄にしているという残念な現実です。それは日本人の働き方がまちがっているからであり、さらにいえば、日本社会の仕組みに大きな欠陥があるからでしょう。――私はこれを、日本が先進国のふりをした身分制社会だからだと考えています。

「偏差値60」を平均とする社会

それなりに複雑な文章を理解するスキルを読解力のレベル４以上とするならば、その割合は日本で22・６％、ＯＥＣＤ平均で11・８％です。一定の水準以上の数的・論理的問題に対処できるスキルを数的思考力のレベル４以上とすれば、その割合は日本で18・８％、ＯＥＣＤ平均で12・５％です。

それにもかかわらずわたしたちの社会は、だれでも専門的な文章を読み、論理的思考ができることを前提に成り立っています。なぜなら、知的スキルが低いという指摘は「頭が悪い」と同義になり、「差別」と見なされるから。

その結果、5人に1人（日本）から10人に1人（OECD平均）しかいない知的スキルの高いひとを「平均」として世の中が動いていくことになります。

大学受験を目指す高校生のうち偏差値60以上の割合は約16％で、関東の大学ならMARCH（明治、青学、立教、中央、法政）、関西なら関関同立（関西、関西学院、同志社、立命館）に該当します。日本では、マスメディアもアカデミズムも、すべての国民がこのレベル以上の知的スキルを持っていることを暗黙の前提にしています。

なぜこんなことになるかというと、日本の（というよりすべての先進国の）社会の中心にいるのが高学歴層で、無意識のうちに自分を基準にするために平均（一般的な国民像）が大きく歪むからでしょう。社会的にも経済的にももっとも恵まれた彼ら／彼女たちにとって、PIAACの読解力や数的思考力でレベル3以下のひとたちは存在しないも同然なのです。

この大きな誤解に気づかないのは、公務員にしても、大手企業の正社員にしても、新聞や雑誌、テレビ番組を制作するマスコミ関係者にしても、自分たちのまわりに同じような学歴の者しかいないからです。――あなたがふだんつき合っているひとを思い浮かべれば、このことはすぐにわかるはずです。

インターネットやSNSで不愉快な出来事が頻発しています。モンスター・ペアレントやモンスター・クライアントも同じでしょうが、感情的にこじれる原因の多くは、相手は理解していると思っても、こちらの意図がまったく伝わっていなかったということで説明できるかもしれません。

ＰＩＡＡＣのデータが示すのは、「話せばわかる」「読んでもらえばわかる」というのはそもそも幻想ではないかという深刻な懸念です。民主政（デモクラシー）は、すべての市民が政治的な主張を理解し、判断できることを当然のこととして成り立っているのですから。

これが、先進国を中心に現代社会を揺るがす「民主主義の危機」の本質なのでしょう。

1％と99％の「知能の格差」

知識社会というのは、定義上、言語運用能力や数学・論理的能力に秀でた者が大きなアドバンテージを持つ社会のことです。

高度な知的作業ができるスキルをレベル5とするならば、その割合は読解力でＯＥＣＤの０・７％（日本は１・２％）、数的思考力で１・１％（同１・５％）しかいません。「ウォール街を占拠せよ」の運動に参加した若者たちは、１％の富裕層に富が独占されているとして「We are the 99%」と叫びましたが、ＰＩＡＡＣによれば、これは経済格差ではなく職業スキル≒知能の格差のことです。高度化した知識社会においては、1%の高知能のひとびとが世界の富の多くを所有するようになるのです。

その一方で、レベル3以下だと、オフィスワークに必要なスキルに達しないとされます。その割合は読解力でOECDの87・0%（日本は76・3%）、数的思考力では86・4%（同80・0%）に達します。

AI（人工知能）が象徴するように、テクノロジーは驚くべきスピードで進歩しており、労働市場で要求される知能のハードルは上がっていますが、人間はそれに応じて賢くなるようにはつくられていません。知識社会が高度化するにつれて、そこから脱落する者が増えるのは必然です。

PIAACでは移民出身者のスコアも計測しており、OECDの報告書では、言語的背景が異なる移民のスキルは顕著に低く、とりわけ北欧で（もともと得点の高い）主流派白人との差が大きく開いていることが示されています。この「スキル格差」が移民出身者の失業率を高くし、生活保護に依存せざるを得なくさせ、その結果、世界でもっともリベラルな国々で排外主義的な政党が台頭するという悪循環に陥ったのです。

PIAACの読解力と数的思考力の得点をランキングすると、ヨーロッパではフィンランドやスウェーデンなど北欧諸国が高く、南に行くほど低くなります。【図表14】が示すように、下位4つはアメリカ、フランス、スペイン、イタリアです。

【図表14】 PIAAC国別得点

順位	国 名	合計得点 (A)+(B)	読解力 (A)	数的思考力 (B)
1	日本	584	296	288
2	フィンランド	570	288	282
3	オランダ	564	284	280
4	スウェーデン	558	279	279
5	ノルウェー	556	278	278
6	ベルギー	555	275	280
7	チェコ	550	274	276
7	スロバキア	550	274	276
9	デンマーク	549	271	278
9	エストニア	549	276	273
11	オーストラリア	548	280	268
12	オーストリア	544	269	275
	OECD平均	542	273	269
13	ドイツ	542	270	272
14	カナダ	538	273	265
15	韓国	536	273	263
16	イギリス	534	272	262
16	キプロス	534	269	265
18	ポーランド	527	267	260
19	アイルランド	523	267	256
19	アメリカ	523	270	253
21	フランス	516	262	254
22	スペイン	498	252	246
23	イタリア	497	250	247

イタリアでは2018年6月、北部を基盤とする「同盟」と南部の「五つ星運動」のふたつのポピュリズム政党が連立してコンテ政権が成立しました。フランコ独裁時代への反省から右翼に忌避感が強いスペインでは、左派のポピュリスト政党ポデモスが大きな影響力を持っていましたが、2019年4月に行なわれた総選挙では移民排斥を求めるボックスがはじめて国政で議席を獲得しました。

アメリカでは稀代のポピュリストであるドナルド・トランプが大統領になり、ジレジョーヌ（黄色ベスト）デモで揺れるフランスでは2019年5月の欧州議会選挙で、マリーヌ・ルペン率いる国民連合がマクロン大統領の共和国前進を抑えて第一党になりました。それ以外でも、EUからの離脱問題で大きな混乱に陥ったイギリスや、EU政府から「右傾化」を批判されるポーランドなどがOECDの平均を下回っています。

ここでだれもが思い浮かべるのは、職業に必要な知的スキルが低い国は失業率が高く、ポピュリズムが台頭するのではないかという疑問でしょう。国際政治学者は欧米の「右傾化」についてさまざまな解説をしていますが、PIAACのデータに基づいたこのシンプルな解釈を無視できるでしょうか。

欧米を席巻するポピュリズムとは、ますます高度化する「知識社会化」へのレジスタンス（反乱）なのです。

参考文献：国立教育政策研究所編『成人スキルの国際比較　ＯＥＣＤ国際成人力調査（ＰＩＡＡＣ）報告書』明石書店

OECD, *The Survey of Adult Skills : Reader's Companion, Second Edition*

Part 6

なぜ「言ってはいけない」ことを書き続けるのか？

（「週刊プレイボーイ」編集部インタビュー）

「進化論的な合理性」と「論理的な合理性」

――本書のPart5では、OECD加盟国の大人を対象として知的能力（読解力、数的思考力、ITスキル）を調査したPIAACの結果がくわしく紹介されています。これが相当に衝撃的で、日本人の成績は多くの分野で先進国ナンバーワンですが、それでも「日本人のおよそ3分の1は日本語が読めない」「日本人の3分の1以上は小学校3～4年生以下の数的思考力しかない」「パソコンを使った基本的な仕事ができる日本人は1割以下」というのが現実である、と。

橘　PIAACの話は『もっと言ってはいけない』（新潮新書）でも一部書きましたが、本書では問題例も加えてさらに詳しく紹介・分析しています。

――『もっと言ってはいけない』が出た後、世間の反応はどうだったんでしょうか？

橘　シリーズ前作の『言ってはいけない』（新潮新書）のときもそうだったのですが、新聞やテレビといったいわゆる「公的空間」に属するメディアの書評やインタビュー依頼はほぼゼロでした。批判もなければ評価もなし、です。一方、ネットではいろんなひとから面白いと言っていただき、そのなかでも予想外だったのは、子育てに悩んでいる母親からの反響が大きかったことです。

いまでは自閉症やADHD（注意欠陥・多動性障害）は遺伝率がきわめて高いことがわかっていますが、それにもかかわらず「子育て万能神話」の社会では、「ちゃんと子育てしていればあんなふうにはならないでしょ」と言われてしまいます。そんなつらい思いをしていた親たちが、「子育てには意味がない（子どもの人格形成に親はほとんど影響力を行使できない）」という話を読んで、救われたと思ったのではないでしょうか。

――両作で橘さんは「知能は遺伝する」「知能には生まれつき差がある」といった話を、エビデンスをもとに書かれています。たしかに、肌感覚として「人前で言うのははばかられる」ような話かもしれませんが、それがメディア上でもタブーに当たるということですか？

橘　知能の生得的な差異に言及すると、「努力すればなんでもできる」「頑張れば必ずうまくいく」という幻想が打ち砕かれてしまう。だからすごくイヤな感じがするんだと思います。

ＰＩＡＡＣとは別に、子どもの学習到達度を国際的に調査したＰＩＳＡがあるんですが、こちらはメディアでも大々的に取り上げられています。なぜなら、子どもの学習到達度の違いは「教育問題」だから。学校でちゃんと勉強しましょう、その機会をみんなが持てるようにしましょう、そうすればもっと平等な社会が実現します、というのは安心できる話ですよね。

もちろん、そうした努力に意味がないとはいいません。ただ、PIAACの結果を見てしまうと、「教育は万能だ」というのは幻想だと思います。

40代、50代で、あるいは20代や30代でもいいですけど、小学校3〜4年生以下の数的思考力しかなかったり、まとまった文章を読めなくても、再教育によって学力＝知能が大きく向上し、知的職業で働きはじめたりできるでしょうか。若年層の失業が深刻化したイギリスでは、ブレア政権時代にものすごいお金をかけて再教育プログラムをやって、それなりに成果はあったということになっていますが、それでも救えないひとたちがたくさんいる。

トランプ大統領の選出やイギリスのブレグジット、フランスのジレジョーヌデモなどに共通するのは、先進国には知識社会からドロップアウトしてしまったひとたちがものすごくたくさんいて、教育ではもはやどうしようもないという現実です。ポピュリズムというのは、知識社会に対する反乱なんですね。

——しかし、そうなると「じゃあどうすればいいんだ!?」という声が聞こえてきそうです。

橘　先日、ある新聞社の記者と話したんですが、これはどちらが正しいとかではなくて、役割の違いだと思います。公共のメディアは、「社会はこうあるべきだ。そのためにはこうすべきだ」と提言しなければいけない。

しかし私は、欧米や日本のような先進国では解決できる問題の大半はすでに解決されていて、夫婦別姓のように制度を変えるだけですぐに実現できるものもあるけれど、残されているのは「老後2000万円不足問題」のような解決できない、あるいは解決策はあるけれどどそれを実行することがほとんど不可能な問題だと考えています。しかしその現実を認めてしまうと、「どうすることもできない」というニヒリズムにしかならない。だから、こういう話が扱いづらいというのはよくわかります。

それに対して私のような物書きは、本を読んでくれる読者にしかアプローチできない。読者が私に求めているのは「この社会をどう改革すべきか」という理想論ではなく、「どうすればもっと幸せになれるか」「どうすればもっとゆたかになれるか」という実践的なアドバイスでしょう。

そんな読者に向けて「こんな方法があるよ」とか、「こんな考え方をしてみたら」という有益な情報を提供することが私の役割なんだろうと思います。それ以外のひとはどうでもいいというわけではありませんが、本を読まないひとにはアクセスする方法がないわけですから。

あと、一方的で偏向した主張しかないよりも、エビデンスに基づいた多様な言論があるほうがよりよい社会ですよね。「現実はわかった。だったらこんなふうに変えていこう」と考える若いひとたちが出てきたら、それは素晴らしいことだと思います。

私が今回の本で——というより前から一貫して書いていることは、幸福になるには、まず自分がどういう世界に生きているかを理解すべきだ、ということです。どんなゲームでもルールを理解していなかったら攻略できないですよね。自分はこういう世界に生きている、そこではものごとはこんなふうに決まっていく、じゃあ自分や家族が幸せになるにはどうしたらいいんだろうと考えて、はじめて人生を攻略する戦略が決まるんだろうと思います。

——その点について本書の「まえがき」では、世界的ベストセラー『FACTFULNESS』（日経BP社）の一節が引用されています。

〈たとえば、カーナビは正しい地図情報をもとにつくられていて当たり前だ。ナビの情報が間違っていたら、目的地にたどり着けるはずがない。同じように、間違った知識を持った政治家や政策立案者が世界の問題を解決できるはずがない。世界を逆さまにとらえている経営者に、正しい経営判断ができるはずがない。世界のことを何も知らない人たちが、世界のどの問題を心配すべきかに気づけるはずがない〉

これを個人の生き方に当てはめるなら、人生における「正しい地図」を手に入れるためには、まず「事実」を知らないといけないということですね。

橘　『事実vs本能』というタイトルの「事実」を「論理的な合理性」、「本能」を「進化論的な合理性」と言い換えることもできると思います。ヒトの脳はものすごくよくできたマシンですが、同時にそれは間違いなく旧石器時代の生活に最適化されたものです。

集団のルールを侵した者を罰することが快楽だったり、いったん手にした財産や既得権に極端に執着したり……といった行動は、旧石器時代を生き延びるために必要だったことで、そこには「進化論的な合理性」があります。わたしたちはこうした「本能」に従って日々、物事を判断したり行動したりしています。

ところが、ヒトの脳のこうした機能は、急速に高度化している現代の知識社会とはしばしば衝突します。進化論的な合理性（本能）を、知識社会を生き延びるのに必要な「論理的な合理性」（事実）に変換できるひとは、じつはそれほど多くない。

直感だけで生きていると、相手からすればどのように選択・行動するかをあらかじめ予測できるわけですから、それを利用しようとするひとたちのカモになってしまいます。政治から保険などの金融商品の勧誘、キャバクラやホストクラブまで、意識的であれ無意識的であれ、ヒトの脳のゆがみみたいなものを逆手にとったビジネスモデルが氾濫していますから。

ひとは誰でも99％（あるいはそれ以上）、直感に従って生きています。それは私も同じで、すべての選択をいちいち「これは合理的か？」なんて考えていたら生きていけません。シリーズ前々作にあたる『バカが多いのには理由がある』（集英社文庫）でも書きましたが、その意味でひとはみんな「バカ」なんです。ただ、その「バカ」の程度に若干の違いがあるだけです。

しかし産業革命以降、急速に発達した知識社会では、その若干の違いがものすごく増幅されてしまう。いつも直感的に判断するひとと、ときどき「あれ、本当にこれでいいのかな？」と少し立ち止まれるひとで、結果が全然違ってくる。そして、人間が持っているさまざまな能力のなかで、きわめて限定的な言語運用能力と数学的・論理的思考能力に優位性を持つ人間だけがとてつもなく有利になっていく。

これまで人類が体験したことのない知識社会が成立してから、たかだか２００年くらいしかたっていません。しかも近年では、ＡＩ（人工知能）やブロックチェーン（ビットコイン）、遺伝子編集（クリスパー・キャス９）といった、技術なのか魔術なのかわからないイノベーションが次々と現われて知能の格差＝経済格差がますます拡大している。

高度化した知識社会のなかで一人ひとりが自由（自己実現）を追求するのが後期近代で、それによって近代は「完成」に向かっていくのだと私は考えていますが、われわれはその時代に生きていくしかないんです。じゃあその世界はどんな場所なんだろう、というのが本書のテーマです。

年金も生活保護も「偏差値60」を前提にした仕組み

――国際的な知的能力調査PIAACが明らかにしたのは、現代の高度な知識社会に適応できないひとたちがたくさんいるという〝不都合な事実（ファクト）〟でした。これによってデモクラシー（民主政）の根底が崩れるとも書かれていますが、その理由はなんでしょうか？

橘　もともとデモクラシーというのは、すべての有権者が政治家や政党のさまざまな主張を完全に理解し、自分が求める「よりよい社会」を実現するためにどの候補者や政党に政治を任せたらいちばんいいかを合理的に判断し、投票するという建前でつくられた仕組みです。でも現実には、そうした「政治リテラシー」を持たないひとがものすごくたくさんいるという〝事実〟が表に出てしまったら、知識幻想、教育幻想でなんとか成り立っていたリベラルデモクラシー（自由主義的民主政）の底が抜けてしまいます。

――つまり、今の社会が直面しているような難しい政策的課題に関しては、「国民的議論」というようなもの自体が成立しないと？

橘　アメリカのトランプ大統領や、EU離脱を実現したイギリスのボリス・ジョンソン首相は、そのことをはっきり自覚したうえで行動していますよね。

正しいことや難しいことを「事実（エビデンス）」にもとづいて議論するより、感情という「本能」に訴えることで獲得できる票のほうがはるかに多くて、それをうまく利用すれば超大国の権力のトップに立つことだってできる。ポピュリズムの効果が可視化されたというのは、ある意味、恐ろしいことです。

ＰＩＡＡＣが示した「人間の認知能力には限界がある」という事実は、単純に「興味深い話題だね」というレベルの話ではなく、いま世界で起きているさまざまなこととつながっていると思います。

――また、投票行動のみならず、社会を支えるシステムに関しても同じ問題を抱えていると書かれています。

橘　年金にしても生活保護にしても、行政サービスなどの社会システムは、「みんなが偏差値60程度（上位2割）の認知能力を持っている」ことを前提としてつくられています。公立小学校や公立中学校を思い出せば「そんなわけないよね」とわかると思うのですが、高校から能力別に分かれてしまうので、周りに似たような学力≒知能のひとしかいなくなって、無意識のうちに「標準」が大きく上がってしまうのでしょう。

社会はますます複雑化して行政手続きも難しくなっていきますが、世の中には「新しいことを覚えたくない」「難しいことを考えたくない」という人が一定数いる。みんなそのことはなんとなくわかっているのかもしれないけれど、実はその「一定数」がものすごく増えていて、社会のいろんなところに亀裂が走り、矛盾が噴出しているんじゃないかと思います。

――「日本人の3分の1は日本語が読めない」「日本人の3分の1以上は小学校3～4年生以下の数的思考力しかない」といったPIAACの結果が、それを示しているということですね。

橘　例えば生活保護を受給しようと思えば、自治体の担当者に電話で問い合わせたり、専門家のアドバイスや申請者の体験談などを読んだりして、自分で制度を理解して申請しないとならないわけですよね。だけど現実には、かなりの理解力（知性）がないと行政が要求する文書を個人で作成することはできない。その結果、行政サービスが必要な人ほど行政システムから脱落してしまう。

これは別にいやがらせしているわけではなく、社会が複雑化するにしたがってさまざまな利害が対立するから、どこからも文句が出ないようにつぎはぎしていくと、結果的に誰も理解できないような異様で複雑怪奇なものになっていくんですね。

実際には、生活保護を自力で申請する人はあまりいなくて、NPO団体とか医療機関のスタッフが同席して、代わりに手続きしているようです。これを善意でやっていればいいのですが、金儲けのために制度を利用すると「貧困ビジネス」になる。制度が複雑になればなるほど、貧しい人は行政サービスから排除され、そのバグをうまく見つけられるひとがものすごく得をするというのは大きな矛盾です。

そういえば最近、若い人から、「何年も確定申告していなかったら怒られた」とか「ずっと健康保険料を払ってなくて、払わなくても健康保険証をくれると思ってた」という話を聞きました。どちらも大学を出て、フリーでライターの仕事をしているのだから、社会的には「知識層」です。

だからこれはたんに「知能」の問題ではなくて、高い知能を持っていても事務的な作業がまったくできない、というひとはかなりいます。「貧しいから払えない」とか、「税金（保険料）なんか払わない」という明確な理由があるわけではなく、「払わなきゃいけないとわかってはいるんだけど、どうしたらいいかわからない」というひとが、実はものすごくたくさんいる。

こういう面倒な手続きを会社が代行しているから、これまで日本社会はなんとかやってこれたけれど、それを全部自分でやらなければならなくなったら、たぶん社会が回らなくなる。市民のリテラシーは、行政が想定するレベルには達していないんです。

その意味で、源泉徴収と年末調整でサラリーマンから税や社会保険料を強制徴収する仕組みはとてもよくできていて、老後に無年金になって困窮する人たちを大きく減らしたことは間違いありません。しかしその結果、どんどん保険料を引き上げて高齢化による財源不足を穴埋めするようになったわけですけど。

人間の認知的限界に対して、行動経済学などの知見を使ってみんながなるべく合理的に行動できるように（勝手に）背中を押してあげよう、というのが「ナッジ」と呼ばれる政策手法です。私はこれをとても誠実な態度だと思いますが、こういうリバタリアン・パターナリズム（自由主義者のおせっかい）はアメリカですらあまり人気がないんですね。世の中には、9回裏逆転満塁ホームランみたいなことを求めているひとがたくさんいますから。

リバタリアン・パターナリズムが「設計主義」の極右だとすれば、正反対の極左はすべての人に生存権（健康で文化的な最低限度の生活）を保証するユニバーサル・ベーシック・インカム（UBI）でしょう。私は制度的にUBIはうまくいかないと思っていますが、ナッジはあくまでも対症療法でしかなく、世界から貧困をなくすことはできないのですから、理想主義者が不満を持つのはよくわかります。

その先には、AIで社会を最適設計すればいいというテッキー（技術至上主義者）がいます。PIAACが示すように、人間の認知能力には限界があるのだから、クルマの運転をAIに任せるのと同じように社会設計や政治的選択もAIにやらせればいい、と本気で考えているサイバーリバタリアンがシリコンバレーにはたくさんいます。目指すべきは「国民の効用を全体として最大化する功利的社会システム」であって、「みんなで決める」ことに価値はない、というわけです。

――年金といえば、金融庁の「2000万円報告書」以来、橘さんはしばしば年金問題についてツイートされていますよね。

橘　私はデモで意思表示することに反対ではないんですが、「年金払えデモ」って参加者の利害が一致しているわけじゃないですよね。すでに年金をもらっている高齢者は「自分の年金を守れ」だろうし、年金保険料を払っている現役世代は「高齢者の年金を減らせ」になるはずだし、サラリーマンなら「（不利な）厚生年金から脱退させろ」というのが正しい主張でしょう。そんな利害関係が異なる人たちがいっしょに集まって、「年金払え」って国家に要求するのはかなり違和感があります。

あと、「国民年金が少ない」というひとがよくいますが、そもそも国民年金は保険料が安いのだから受給額が少ないのは当たり前です。支払った保険料に対してどれだけ給付があるかを見ると、国民年金自体は厚生年金よりずっと得です。だから、弁護士や開業医のような富裕な国民年金加入者は、国民年金基金やｉＤｅＣｏ（個人型確定拠出年金）を利用して豊かな老後を実現しています。

日本の年金制度がサラリーマンや現役世代（若者）にとって理不尽な仕組みなのはまちがいないので、それを批判してデモをするのはいいんですが、実際はデモに参加しているほとんどのひとが年金制度を正しく理解していなくて、何に怒っているのかよくわからないまま怒っている。政治に対して抗議するなら、ちゃんとシステムを理解しておきましょう、ということです。

「取り残された男たちのテロ」という世界の大問題

――本書では、「イスラーム原理主義より深刻な問題」として、近年世界じゅうで繰り返されるテロ事件の犯人のほとんどが「若い男性」であることを指摘しています。

一般的には、多くのテロ事件はIS（「イスラム国」）などのイスラーム過激派に共鳴したものか、それに反発した排外主義者、白人至上主義者らによるものであり、あくまでも宗教的・思想的背景があると見られていると思いますが。

橘　もちろんそうした背景はあるでしょうが、その根本には「知識社会から脱落した若い男」による犯行という共通項があり、それが国や文化によってさまざまな表われ方をしているのだと思います。

ただし「若い」といっても、京都アニメーション放火事件の犯人は40代、神奈川県川崎市で起きたスクールバスを待つ児童らへの殺傷事件の犯人は50代ですから、日本では高齢化にともなって年齢が上がってきているのが気がかりではありますが。

大前提として、もともとあらゆる国で凶悪犯罪に占める「若い男」の割合は、女性や子ども、高齢者と比べると際立って高く、国連の報告書では加害者の95％、被害者の79

%が男です。

男の攻撃性・暴力性は、睾丸から分泌される性ホルモンの一種であるテストステロンが関係しているとされます。テストステロンは筋肉や骨格を発達させるとともに、脳の配線を組み替えて性愛への関心を高め、思春期になった男を、女の獲得をめぐる厳しい闘いに駆り立てます。

女性も副腎や卵巣からテストステロンがつくられますが、男のレベルは最大で女の100倍にも達し、これが男女の暴力性のちがいに反映するとされます。わたしたちはみな何百万年、何千万年と続いた性淘汰を勝ち抜いた哺乳類のオスの子孫で、男は思春期から20代にかけて攻撃的・暴力的になるようプログラムされているのです。

世界じゅうで学校教育からドロップアウトする若者が大きな問題になっていますが、その傾向はとりわけ男性に顕著です。アメリカでは、小学校から大学まですべての学年において男子の点数は女子を下回っており、2011年には男子生徒のSAT（大学進学適性試験）の点数が過去40年間で最低になりました。女子生徒が生徒会や優等生協会、部活動などに積極的に参加する一方、多くの男子生徒は留年や停学などで落ちこぼれていく。

男女の知能の平均には差がありませんが、男のほうが知能のばらつきが大きく、学力がきわめて高かったり、きわめて低かったりするのは男が多くなります。また男のほうが競争圧力が強いので、学校での学力競争から脱落して無気力になったり、「不良」など学力以外の競争に向かったりするからでしょう。OECDによれば、これはアメリカだけでなく世界的な傾向です。

――「ドロップアウトした若い男」が激増していることが頻発する無差別殺人などテロ事件の背景にあり、その根本的な理由が「知識社会の高度化」だとすれば、何か解決方法はあるのでしょうか。

橘　さまざまな〝対症療法〟はあるでしょうが、本質的な解決策は誰も知らないのではないでしょうか。多くのテロ事件には、犯人が「若い男」であることのほかにもうひとつ共通点があり、それは犯人が自分のしたことをまったく反省していないことです。

神奈川県相模原市で２０１６年に起きた障害者施設殺傷事件の被告も、報道によればいまも自身の凶行を悪いことだと考えている様子はありません。これは、犯人たちが「正義」を体現していると確信しているからです。

進化の過程でプログラムされた男の暴力性は、女の獲得競争だけでなく集団同士の抗争でも強く発揮され、こちらのほうが激烈・残虐になります。これはチンパンジーなども同じですが、集団間の抗争に敗れればメスを奪われ、オスと授乳中の幼児は皆殺しにされてしまう。自然の掟は、「生き延びるためには殺すしかない」です。

テロを実行した男たちの声明や供述を見てもわかるとおり、彼らはたとえ単独犯であっても、妄想の中では「白人」「イスラーム」「日本人」などの共同体を代表していて、仲間たちを救うために犯行に及んだと信じている。彼らの自己評価は、自らの歪んだ「正義」を実現した「救世主」なのです。

——こうした「若い男性」の問題に加え、いま日本では、就職氷河期という受難によってひきこもり化してしまった40代、50代が多いという問題も指摘されています。

橘　Ｐａｒｔ１でも述べましたが、ひきこもり経験を持つ上山和樹さんは著書『「ひきこもり」だった僕から』（講談社）のなかで、ひきこもりという状態を、「怒り」と「恐怖」が表裏一体となって身動きできないまま硬直してしまうことだ、と書いています。「恐怖」というのは働いていない、すなわちお金がないことで、「怒り」とは自責の念、そんな状態に自分を追い込んだ家族への憎悪、社会から排除された恨みです。そして、上山さんによればもうひとつ重要なのは、男のひきこもりは性愛からも排除されていることだといいます。

現代社会において、社会から排除された無職の男は異性とつき合える可能性がきわめて低い。ネットスラングで「非モテ」といいますが、上山さんはこれを「決定的な挫折感情」であり、その性的な葛藤は「本当に、強烈な感情で、根深くこじれてしまっている」と表現しています。男の脳が女の性愛を獲得するよう進化し、プログラムされているとすれば、性愛から排除されることは自己を全否定されるようなとてつもない挫折感情でしょう。

もちろん、ひきこもりが社会への暴力につながるケースはきわめて稀で、特定の事件を一般化することは避けなければいけません。しかし、就職氷河期から20年が過ぎ、80歳の親が50歳の子どもを養わなければならないという「８０５０問題」が現実のものになりつつあります。

そのあとに来るのは「９０６０問題」ではなく、親が亡くなった後に自宅に取り残される60代のひきこもり問題です。これが日本社会に確実にやってくる未来である以上、ひきこもりの内面から目を背けることはできないと思います。


――性愛からの排除というのは、やはり男女で差があるものでしょうか。


橘　社会的・文化的な影響はもちろんありますが、生物学的にいうならば、ヒトの場合、オスが競争し、メスが選択するように進化してきたことはまちがいありません。そこから男女の生得的な非対称性が生じるのも当然のことです。

ひきこもりが今や〝hikikomori〟として英語になったのと同じく、男の〝非モテ問題〟も日本にかぎらず世界じゅうの先進国で起きています。

産業革命によりこれまで人類が体験したことのない「知識社会」が成立してから、たかだか２００年くらいしかたっていません。とりわけこの数十年で社会はきわめてゆたかになり、一人ひとりが共同体のくびきから解き放たれて自由と自己実現を追求するようになりました。

こうした後期近代の特徴が流動化＝液状化ですが、そこでは恋愛市場も「自由化」していきます。ところが自由恋愛では、男女の性愛の非対称性によって、複数の女から選ばれる男と、誰からも選ばれない男が出てしまう。

かつては結婚相手を親が決めるなど、自由恋愛を制限して男女のカップリングを共同体が（強引に）管理してきました。しかし今では、イエや共同体が個人の恋愛に介入することはまったくできなくなりました。マッチングアプリなんて完全な自由市場ですよね。

「すべての個人の自由を最大化すべきだ」というリベラルな社会では離婚や再婚も当たり前になり、〝時間差の一夫多妻〟と呼ばれる状況が成立します。相手が金持ちや有名人なら不倫でもいい、という女性もいるでしょう。女性が好む相手は歴史や地域を問わず一貫して「権力をもつ男（アルファメイル）」です。

昔だったら力が強い、狩りがうまいといったことだったかもしれませんが、今は男の魅力が「お金」で数値化されていて、ＩＴ起業家が人気女優と恋愛する一方で、低所得の男性は〝非モテ〟化してしまうという構図だと思います。

――これもまた、原理的に解決がきわめて難しい問題ですね……。

橘　アメリカのインセル（〝非自発的禁欲主義者〟と呼ばれるネット上の非モテコミュ

ニティ。近年アメリカで起きたいくつかの無差別殺傷事件の犯人はインセルの思想に影響されたとみられている）は熱烈なトランプ支持の白人至上主義者ですが、「一夫一妻制の社会に戻せ」と（保守的な）フェミニストとまったく同じ主張をしています。

これは、自由恋愛が非モテの男に不利で、モテの男と（相対的によりよい男とカップリングできる）すべての女に有利な制度であることを考えれば当然の話です。しかし、個人の自由を最大化するという意味でのリベラリズムは現代においてもっとも強力なイデオロギーですから、まったく現実的な話ではないと思いますが。

――ここまでお話をうかがって、脳のプログラムという「本能」が、さまざまな点において、現代社会で直面する「事実」に適合していないことがあらためてよくわかりました。

橘　ポーランド出身の社会学者ジグムント・バウマンは『廃棄された生　モダニティとその追放者』（昭和堂）という著作で、現代の社会状況をきわめて的確に言い当てています。

資本主義社会がゆたかになると、誰もが個人として自己実現を求めるようになり、社会は流動化＝液状化する。しかし、全員がこの大きな変化に適応できるわけはなく、こぼれ落ちてしまうひとたちが出てくるのは避けられない。

バウマンの念頭にあるのは移民や難民ですが、働きすぎて身体を壊したり、こころを病んだりするビジネスパーソンも含まれます。そのため現代社会は、積極的雇用政策やリカレント教育、カウンセリングなどの精神医療によってこぼれ落ちたひとを〝リサイクル〟して労働市場に戻そうとしますが、それができないと〝廃棄〟されてしまいます。バウマンはこれを、「人間廃棄物（wasted humans）」と呼んでいます。

バウマンによれば、ゆたかな消費社会が大量のゴミ（廃棄物）を生み出すように、わたしたちが享受している「ゆたかで自由な社会」と「格差拡大」はトレードオフです。リベラルな社会では人種や性別、出自にかかわらず誰もが社会的に成功する可能性がある一方で、いつ〝廃棄〟されるかわからない――。これが、わたしたちが生きている社会だというのです。

きわめて残酷な話ですが、これが現実の一面であることは否定できません。「じゃあ、どうすればよりよい社会にできるんだ？」という問いに対する答えを私は持ち合わせていませんが、「この残酷な世界で、どうすれば自分や家族がもうすこしゆたかに、幸福になれるのか？」という問いであればいくつかの基本的なアドバイスができます。これからも、読者に向けてそういう話を書きつづけていくつもりです。

文庫改訂版あとがき

新型コロナウイルスの世界的な感染拡大という未曽有の事態を受けて急遽、「文庫改訂版」をつくることになりました。この原稿を執筆している時点でも状況は流動的ですが、感染の仕組みや重症患者への対処法が徐々にわかってきたことで当初のような大混乱は鎮まったようです。

とはいえ、治療法のない感染症が経済活動に与えた影響は甚大で、わたしたちはこれからも「アフター・コロナ」ではなく「アンダー・コロナ」の時代を生きていくしかないのでしょう。専門家によれば、人類に未知のウイルスは自然界に160万種も存在するそうです。それがヒトに感染するよう変異するたびに同じことを繰り返すわけにはいきませんから、もはやコロナ以前の世界に戻ることはできず、これからは世界じゅうで「感染症に強い社会」をつくる競争が始まるでしょう。

現在のところ、もっとも効率的に感染症を抑制できているのは「超監視社会」を構築した中国で、それに対抗するのがオランダやスウェーデンで行なわれている「社会的トリアージ」です。これらの国では、市中で感染が広がっても病院システムが破綻しなければ問題ないとして、年齢や既往症によって新型コロナで治療を受けられる患者を制限しています。

どちらの方式が採用されるのか、あるいは併用されるのかも含め、今後、さまざまな試行錯誤が繰り返されることになるでしょう。その結果、どのような社会が生まれるのかはまだわかりませんが、ひとつだけ確かなのは、世界じゅうの社会システムがひとつに収れんしていくことです。

これから少しずつひとの往来が復活していくでしょうが、そのときにアメリカ、中国、日本などでまったく異なる「コロナ対策」の基準を導入していたら機能不全に陥るのは目に見えています。感染症の検査体制や非感染証明・抗体証明などの国際基準を整備したうえで、それでも感染症患者が入国したら(発生国を非難するのではなく)それぞれの国で感染拡大を抑制するようルールを統一する以外にないのです。

この「システムのグローバリゼーション」によって旧態依然とした日本の社会も大きく変わっていくだろうと思いますが、それについて書くにはもうすこし時間が必要です。

ニューヨークのロックダウンが始まった2020年3月、新型コロナウイルスに関連して、私としては珍しく「炎上」を体験しました。ひとつは「ニューヨークはほぼ確実に医療崩壊するだろう」、もうひとつは「感染症は、世界でもっともゆたかでもっとも格差の大きな都市を直撃した」というツイートです。

当時の状況を説明しておくと、東アジアからヨーロッパに飛び火した感染症はイタリア、スペインで医療崩壊を引き起こし、株式市場が暴落するなど、動揺と混乱が広がっていました。ＰＣＲ検査もじゅうぶんに行なわれているとはいえず、この未知の感染症がどの程度広がっているのか、日本も世界も疑心暗鬼に陥っていました。

そんななか、世界の疫学研究者が注目していたのが死者数の推移です。検査体制が異なる国の感染者数を比較しても意味がありませんが、すくなくとも先進国であれば、病院は肺炎の患者をかならず検査するだろうから、実態をもっとも正確に表わしているのは累積死亡者数だとされたのです。

ただしこの指標には、現実の感染状況から2〜3週間遅延するという特徴があります。感染から死亡までのタイムラグがあるからで、「潜伏期間を5日、入院から死亡までを14日として、今日の死亡者数は19日前の感染状況を反映している」とされました。

これは逆にいうと、「死亡者数の推移から未来を予測できる」ということです。状況が悪化してロックダウンしても、その時点の感染者には影響がないのですから、感染抑制策の効果で死者数が減少するのは2〜3週間後になり、それまではトレンドに沿って入院患者や死亡者は増えつづけるはずなのです。

私はこのことを欧米の疫学者のSNSで教えられ、それ以降、死亡者数の推移に注目していたのですが、理論どおり、ロックダウンから3週間ほどでトレンドが変わりはじめることに驚かされました。

この時点でアメリカの州別の累積死者数をグラフ化したものはありませんでしたが、各州の新規死者数は公表されていました。ニューヨークのロックダウンを知ったとき、手計算でそれを集計し、エクセルでグラフ化してみると、イタリアやスペインの最悪期を上回る恐ろしいペースで死者数が増えていることがわかりました。

そこから考えると、ニューヨークにはすでに膨大な数の感染者がいると想定せざるを得ません。このひとたちが発症とともに病院に押し寄せれば、報じられている病床の空き状況からして、病院はたちまち患者を受け入れられなくなってしまいます。これが、「ニューヨークはほぼ確実に医療崩壊するだろう」としたツイートの根拠です。

その後になにが起きたかは、あらためて説明するまでもないでしょう。ニューヨークのあちこちに遺体の仮安置所がつくられ、そこに棺が積みあがるという驚くべき光景をわたしたちは目にすることになりました。

ニューヨークの累積死者数は、4月半ばには1万人の大台を超えました。その時点での累積感染者数は20万人ですが、累積死者数は2～3週間前の感染状況を反映しているのですから、3月下旬の感染者数を見る必要があります。累積感染者数は3月23日（3

週間前）が2万人、3月30日（2週間前）は6万6000人で、新型コロナの死亡率は感染者の1％程度とされていたのですから、実際の感染者はその数倍、あるいは10倍以上いたはずです。PCR検査が間に合わないだけで、感染の実態は大きく過少評価されていたのです。

しかし当初、ニューヨークの感染源は医療関係者や裕福なユダヤ教徒だとされていました。だとしたら、この「見えない感染者」はどこにいるのか？

国民皆保険制度のないアメリカでは、自費でPCR検査を受けると数万円の費用がかかりました（その後、無償化されました）。そう考えれば、答えはあきらかです。「最初の感染者」とは「最初に検査を受けられた裕福な感染者」のことであり、その背後には検査を受けることができない膨大な感染者がいるはずなのです。それは、移民や黒人などのマイノリティでしょう。これが「感染症は、世界でもっともゆたかでもっとも格差の大きな都市を直撃した」とツイートした理由です。

ところがこれに対して、ニューヨーク在住の日本人の方を中心に、「裕福なユダヤ人のコミュニティでクラスターが発生したのに、貧困層が感染源になっているかのように決めつけるのは差別だ」との批判が殺到しました。このひとたちは「ニューヨークが医療崩壊する」というツイートにも強く反発しており、「現地のことをなにも知らないくせに、適当なことをいうな」ということのようです。

しかしその後、新型コロナの入院患者の属性や、居住地域別の感染状況などのデータが徐々に公表されるようになりました。それらははっきりと、白人よりも黒人の方が不均等に死者・感染者が多いことを示していました。格差の底辺にいるひとたちこそが、感染症の最大の犠牲者だったのです。

このように、データをもとに合理的に推論すれば、たとえ現地にいなくても「事実」に迫ることができます。とはいえ、このことで「炎上騒動」を起こしたひとたちを批判する意図はありません。

原因のひとつはSNSの特徴にあります。ここで述べたようなことを私はずっとツイートしてきており、それを読めば背景にある論理を理解してもらえるはずですが、リツイートで拡散していくのは結論部分だけで、それにもとづいて直感的に「不愉快だ」「差別だ」と判断されてしまいます。過去にさかのぼって発言を確認するひとなどほとんどいないし、SNSでそのようなことを期待してもしかたないのでしょう。

もうひとつは、私の配慮が足りなかったことです。未知の感染症が広まってロックダウンに追い込まれたことで、ニューヨークに住む日本人のひとたちは大きな不安を感じていたでしょう。そんなときに「確実に医療崩壊する」などといわれれば、反発は当然ともいえます。

とはいえ当時、ニューヨークの病院のベッドが逼迫していることは広く知られており、複数の疫学の専門家が「このままでは医療崩壊は避けられない」と警告していました。それが現実のものとになるとわかった（合理的に推論できた）ときに、どこまで配慮すべきかは難しい問題です。私のツイートに反発したひとだけでなく、医療崩壊が迫っていることを知ってよかったと思った現地在住者もいるかもしれないのですから。

「差別だ」との批判も同じで、トランプが新型コロナを「チャイナウイルス」と呼ぶなかで、ニューヨークでもアジア系に対する敵対的な雰囲気が強まっていました。誰もがナーバスになっているそんな時期に、日本に住んでいる（安全な）人間が安易に格差の問題に言及することへの反発があったのでしょう。

しかしそれまでも、ＰＣＲ検査を受けられない貧困層に感染が広がっているのではないかという報道はたくさんあり、私はたんに、データから推測されたニューヨークの膨大な潜在感染者と、こうした報道を結びつけただけです。それが一部の「リベラル」なひとたちを不愉快にしたからといって、どこまでそれに配慮すべきだったかというと、やはり答えはありません。

リベラルな社会では、「ひとを不愉快にすることは許されない」とされます。ＳＮＳではこうした「道徳観」が顕著で、不愉快な発言はしばしばバッシングの標的になります（そのほとんどが匿名で行なわれます）。

私はこうした風潮を一概に否定するわけではありませんが、そうなると「表現の自由」

との衝突は避けられません。アメリカではこれは「キャンセルカルチャー（差別的な言動をしたとされる者の解雇や除名を求める運動）」として大きな問題になっており、フランスではムハンマドの風刺画を教材に使った公立中学の教師が斬首されるという衝撃的な事件が起きました。

合理的な推論によって「事実」だと判断したことを「言ってはいけない」とするならば、そもそも「表現の自由」とは何なのか。これもまた、わたしたちが考えていかなくてはならない大きな課題です。

本書に掲載した「週刊プレイボーイ」のコラムは『Ｙａｈｏｏ！ニュース個人』にもアップされています。最近ではネットで読まれることも多くなりました。

Ｐａｒｔ１「この国で『言ってはいけない』こと」の冒頭にある「女児虐待死事件でメディアがぜったいにいわないこと」は１００万ページビュー、「小４女児虐待死事件で、やはりメディアがぜったいにいわないこと」は２５０万ページビューを超えました。『Ｙａｈｏｏ！ニュース』の担当者によると、トピックス（ニュースページのもっとも目立つところに置かれる記事）以外でこれだけのアクセスがあるのは珍しいとのことです。

かつては雑誌コラムは紙で読むものでしたが、いまはウェブへと移行しつつあります。

そんな時代の変化とともに、コラムをまとめて単行本にすることもめっきり少なくなりました。そのなかで、『不愉快なことには理由がある』『バカが多いのには理由がある』『「リベラル」がうさんくさいのには理由がある』（すべて集英社文庫）につづいて4冊目を出す機会に恵まれたことはほんとうに幸運だと思います。

なお今回の改訂にあたって、親本のＰａｒｔ５「右傾化とアイデンティティ」は割愛しました。

２０２０年10月

橘　玲

本書は、二〇一九年七月、集英社より刊行されたものを加筆、再編集しました。

初出
「週刊プレイボーイ」二〇一六年五月〜二〇一九年六月
Part 0「パンとサーカスの日本社会」
書き下ろし
Part 6「なぜ『言ってはいけない』ことを書き続けるのか?」
週プレNews 二〇一九年七月

橘　玲の本

「リベラル」がうさんくさいのには理由がある

安倍政権を「極右だ」「ヒトラーだ」と批判し続けるリベラルメディアやリベラル文化人は、なぜいつまでも主張が通じないのか？　「まともな政治論争のできる国」にするため、人気作家がズバリ提言！

集英社文庫

集英社文庫

文庫改訂版　事実vs本能　目を背けたいファクトにも理由がある

2020年11月25日　第1刷　　定価はカバーに表示してあります。

著　者　橘　玲

発行者　徳永　真

発行所　株式会社　集英社
東京都千代田区一ツ橋2-5-10　〒101-8050
電話　【編集部】03-3230-6095
【読者係】03-3230-6080
【販売部】03-3230-6393（書店専用）

印　刷　凸版印刷株式会社

製　本　凸版印刷株式会社

フォーマットデザイン　アリヤマデザインストア　　マークデザイン　居山浩二

ISBN978-4-08-744181-9 C0195